Préface

De l'autre côté du miroir

Deux alouettes entrent.
L'une d'elles :
« Leur miroir, c'est vieille ruse usée,
vieux jeu déjoué. »
J. Prévert

DANS LE MIROIR que nous tendent les institutions dominantes, le monde est plutôt lisse et rassurant, sans saillies ni aspérités ; en un mot, raisonnable.

Si, de temps en temps, des conflits et des divergences d'opinion s'y laissent apercevoir, ils ne sont que de simples accidents dont l'existence ne saurait en aucune façon remettre en question l'ordre général des choses. Le fait de ne connaître le monde que par le prisme de ses reflets spéculaires procure la certitude de se trouver du côté du bon sens. On conclue donc rapidement que tout conflit persistant ne peut être que le fait de gens déraisonnables

Ce livre traite de politiques fiscales et d'économie, sphères cruciales de la vie sociale et politique. Ce qui s'y joue n'est en effet rien de moins que l'accomplissement de fonctions aussi décisives que l'allocation des ressources, la production de biens et de services et leur distribution. Ce qui s'y décide, et c'est absolument vital pour une collectivité, ce sont les modalités et les règles qui président à l'accomplissement de ces fonctions.

Si l'on n'observe le monde que dans les reflets du miroir des idées dominantes, en ne s'abreuvant, par exemple, qu'à nos grands médias d'information, l'économie et la fiscalité sont un sujet que l'on croira bien connaître et sur lequel on pourra, avec assurance, avancer des opinions « raisonnables ». Notre économie, dira-t-on, confie au mécanisme du libre marché l'allocation des ressources, ainsi que la production et la consommation. Elle permet à chacun de produire et de consommer librement, selon sa contribution à la collectivité et selon les biens qu'il ou elle possède. Par des mesures fiscales généreuses, nous mettons enfin en place un filet de sécurité sociale pour les plus démunis.

Voilà une représentation parfaitement lisse de l'ordre économique et fiscal du monde. Une représentation tellement raisonnable qu'elle semble s'inscrire tout naturellement dans l'ordre des choses, voire dans la nature humaine elle-même. Mais cette représentation est-elle vraie pour autant ?

Si vous le voulez, considérons à titre d'exemple le cas d'Adam Smith (1724-1790). Ce n'est pas un exemple pris au hasard. Adam Smith est en effet cet économiste qui est considéré comme le père fondateur de l'économie de marché et du libéralisme économique.

« Ne soyez pas si pressée de
croire tout ce qu'on vous raconte. »
L. Carroll

Dans son célèbre ouvrage intitulé *Recherches sur la nature et les causes de la richesse des nations*, Smith avance, contrairement aux théoriciens mercantilistes et physiocrates alors dominants, que la richesse provient du travail productif. Une nation s'enrichit, soutient-il, en fabriquant des produits et en les échangeant. Smith analyse la logique de ces échanges et propose une importante distinction entre la valeur d'usage (« l'utilité d'un objet particulier ») et la valeur d'échange (« la faculté que donne la possession d'un objet d'acheter d'autres marchandises »). Puis, bien avant Taylor ou Ford, il souligne que la division du travail accroît la productivité. L'analyse qu'il propose d'une usine d'épingles demeure célèbre : la spécialisation des tâches en 18 opérations augmente de 240 fois sa production. Smith affirme enfin que la Providence a pu accomplir ce miracle grâce à l'absence de réglementation. Chacun œuvrant d'abord dans son propre intérêt, travaille aussi, à son insu, pour le bien public. « En cela, comme en beaucoup d'autre cas, écrit-il, il est conduit par une main invisible à remplir une fin qui n'entre nullement dans ses intentions. »

Nous voici en terrain familier et nous reconnaissons sans mal l'*Homo Economicus*, cet individu doté de rationalité économique, calculateur, manœuvrant entre l'offre et la demande afin d'accroître ses propres profits.

Ce que je viens d'écrire, qui est connu et répété à satiété, est essentiellement le reflet d'un miroir. Il s'agit d'un miroir un peu savant sans doute, comme on en trouve à l'université plutôt que dans les médias de masse, et qui donne, dans une certaine mesure, un reflet assez exact de ce qu'il représente, mais d'un miroir tout de même. Notons d'ailleurs qu'aucun reflet ne saurait être crédible s'il n'entretenait au moins quelque rapport, même ténu, avec ce qu'il représente. Ce n'est précisément qu'à cette condition que les miroirs peuvent pleinement accomplir leur principale fonction : masquer et déformer autant que refléter. Ce « mensonge-vérité » s'appelle l'idéologie.

Revenons à Smith, en passant cette fois « de l'autre côté du miroir ». Ce n'est pas très difficile. Il suffit d'être méfiant, de ne rien prendre pour acquis et de vérifier par soi-même.

> Deux alouettes entrent. L'une d'elles : « Leur miroir, c'est vieille ruse usée, vieux jeu déjoué. Comme Alice, il y a beau temps que je l'ai traversé et que j'ai pu les voir du bon côté. »
>
> J. Prévert

Smith considère que dans des conditions de parfaite liberté, les marchés engendrent une relative égalité des participants. Étonnant ? Certes.

Pour le comprendre, il faut savoir que Smith n'a jamais envisagé que l'on puisse nommer « marché », ces mécanismes de socialisation des risques et des coûts qui existent aujourd'hui. Il n'a jamais non plus imaginé que nous puissions, comme nous le faisons actuellement dans ce qui se voudrait une économie de marché, mettre les États au service de ces immenses entités monopolistiques ou quasi monopolistiques que sont les corporations transnationales. Il serait d'ailleurs certainement horrifié d'apprendre que nos systèmes juridiques leur confèrent désormais des droits comme si ces entités étaient des personnes.

Derrière le miroir, on découvre ainsi un tout autre Smith. Partisan du libre-échange, celui-ci pousse de poignants cris anticolonialistes et déplore « la barbarie et l'injustice des Européens », coupables de « destructions et de calamités » envers des « innocents et de simples habitants », qui les avaient pourtant accueillis « avec bonté et hospitalité ». Il clame son dégoût pour ce qu'il nomme « l'infâme maxime des maîtres : tout pour nous et rien pour tous les autres », et précise qu'ils sont « incapables de se réunir sans comploter contre le reste de la société ». Il s'inquiète et s'indigne devant la montée, qu'il pressent, de leur redoutable puissance et affirme : « Les ouvriers désirent gagner le plus possible ; les maîtres désirent donner le moins qu'ils peuvent. Il n'est pas difficile de prévoir lequel des deux partis, dans toutes les circonstances ordinaires, doit avoir l'avantage dans le débat. »

S'il souligne que la division du travail est économiquement rentable, il ajoute qu'elle rend l'ouvrier « aussi stupide et aussi ignorant qu'il est possible à une créature humaine de le devenir ». C'est pourquoi, dans la dernière partie de son livre, il réclame que l'État intervienne dans des secteurs où il ne saurait être question de laisser l'entreprise privée agir seule, particulièrement dans celui de l'éducation. Il écrit à ce sujet : « Dans un pays où la loi ne favoriserait pas les maîtres [...] on reconnaîtrait que l'éducation de la foule du peuple [...] exige peut-être davantage les soins de l'État que celle des gens mieux nés et qui sont dans l'aisance. » Lucide, il déplore enfin « la corruption de nos sentiments moraux, résultant de notre disposition à admirer les riches et les grands et à ignorer ou négliger les personnes pauvres et misérables ».

Nous voilà bien loin, vous me l'accorderez, du Smith qui nous est couramment brandi par le miroir aux alouettes afin de justifier n'importe quoi et son contraire. Ce Smith-là est une construction, un reflet commode qui occulte une partie du réel au profit des institutions dominantes. Revenons au livre de Gaétan Breton, Jocelyne Dupuis et Marie Léger Saint-Jean. Leur ouvrage, qui traite d'économie, de politique fiscale et de justice sociale, vous invite, sur chacun de ces sujets, à traverser de l'autre côté du miroir. Suivons-les.

> Deux alouettes entrent. L'une d'elles : « Leur miroir, c'est vieille ruse usée, vieux jeu déjoué. Comme Alice, il y a beau temps que je l'ai traversé et que j'ai pu les voir du bon côté. » L'autre : « Du bon côté ? Ils n'en ont pas. As-tu jamais entendu la chanson qu'ils chantent là-bas, en trépignant rageusement des pattes : "Alouette, gentille alouette, alouette je te plumerai..." »
>
> J. Prévert

Le parcours que les auteurs vous proposent est extrêmement riche et pédagogique. Ce que vous allez y découvrir va vous surprendre, vous fasciner et, sans doute aussi, vous choquer.

Au fil de votre lecture, vous prendrez d'abord la mesure de l'écart considérable qui existe entre ce que l'on nous dit et que l'on croit généralement à propos de l'économie et de la fiscalité, et la réalité. Tour à tour, les auteurs traitent ainsi du marché, des indicateurs économiques, de la notion de valeur, de la dette, des profits, des externalités, de la rémunération et des salaires, de la libre entreprise, de l'allocation des fonds publics, de l'aide au développement, de la production de richesse, des entreprises, de la fiscalité, etc. Petit à petit, l'ouvrage remet en question une large part de ce qu'on prend couramment pour acquis. Il démolit peu à peu tout un sordide édifice de pseudo-vérités et de vrais mensonges.

De ce point de vue, le titre de ce livre est hélas on ne peut plus judicieusement choisi. Après l'avoir lu, vous conviendrez sans doute que si les mots doivent garder leur sens, nous devrions bien souvent parler d'économie planifiée et d'échanges administrés, plutôt que de libre marché ou de libre-échange ; de bien-être social pour désigner ce qui est accordé aux entreprises et aux plus fortunés ; de pillage de biens publics plutôt que de richesse et de prospérité ; et plus généralement, de mécanismes de socialisation des risques et de privatisation des profits pour désigner notre système économique. De l'autre côté du mirroir, vous découvrirez que les entreprises, ces acteurs clés de nos économies libérales, se comportent exactement comme Smith l'avait prédit et tel qu'il le redoutait : elles sont en lutte constante contre le système économique et la société qui les abrite, cherchant sans relâche à empêcher l'avènement des conditions minimales de justice sociale présupposées par le modèle théorique dont elles se réclament.

On comprend dès lors pourquoi l'intervention de l'État, comme régulateur de l'économie palliant à ces carences, est un remède depuis longtemps jugé nécessaire par tous ceux qui ont pris conscience des terribles maux que les auteurs du présent ouvrage dénoncent. L'économiste John Maynard Keynes est celui qui, plus et mieux que tout autre, s'est fait le défenseur de cette idée. Mais, comme le montrent les auteurs avec beaucoup de finesse, toute une série de mécanismes apparaissent aussitôt pour limiter, voire annihiler, toute velléité du public d'intervenir pour rétablir une certaine équité dans la répartition de la richesse : évasion fiscale, paradis fiscaux, déséquilibre fiscal, détournement de sommes, spéculation, etc.

Ils démontrent, entre autres, le caractère nettement régressif des modifications apportées aux régimes fiscaux depuis quelques décennies : recours aux taxes fixes ; recours à la tarification ; recours massif à un financement de l'État à même les profits de ses sociétés et de tarifs imposés à des clients captifs ; diminution à 3 du nombre de paliers d'imposition (il y en avait 16 à l'origine) ; diminution de l'impôt sur le bénéfice et de la taxe sur le capital ; augmentation sensible de la taxe sur la masse salariale ; manipulation du fisc par les entreprises avec approbation tacite des pouvoirs publics, etc.

Cet ouvrage rend un immense service en expliquant tout cela de manière claire et compréhensible. Mais, et ce n'est pas son moindre mérite, il n'en reste pas là. Après avoir accompli ce travail critique, il propose ensuite un programme d'actions pour aller dans le sens de la justice sociale. Il me semble que ce type de démarche manque douloureusement à la gauche depuis quelques décennies. C'est donc tout à l'honneur de Breton, Dupuis et Léger Saint-Jean que d'avancer un programme positif et pour lequel, espérons-le, des gens auront envie de se battre. Car il ne faut pas se le cacher : c'est à force de luttes politiques que les victoires d'hier ont été acquises et il en ira de même pour celles de demain.

> « Monsieur le Chat, demanda Alice. Pourriez-vous m'indiquer le chemin à prendre ? — Cela dépend en grande partie de l'endroit où vous voulez aller », dit le Chat.
> L. Carroll

Les auteurs de *Faire payer les pauvres* se livrent à un exercice passionnant dont le but est de poser un jalon dans la préparation d'un budget qui pourrait, pourquoi pas, être celui de l'an 1 d'un gouvernement de l'Union des forces progressistes (UFP).

Ils nous proposent ici un examen essentiellement centré sur les revenus. L'une des pièces maîtresses de leur proposition est celle d'un revenu de citoyenneté, établi à 15 000 $ par adulte et à 10 000 $ par enfant. Son effet sur la répartition des richesses serait notable : on passerait alors de la situation actuelle, où 40 % des contribuables déclarent 11 % de revenus, à une situation où ils en déclareraient plus de 20 %. Reste la question du financement de cette initiative. Les auteurs montrent comment cette mesure, qui coûterait quelque 100 milliards de dollars, peut être financée par une meilleure répartition des richesses, ce qui, rappellent-ils, est le but de la fiscalité.

Ces mesures, si on les envisage sans porter les ornières de l'idéologie dominante, ne sont aucunement radicales et sont, somme toute, plutôt modestes. Mais pour que ces mesures finissent par exister, le projet économique de société esquissé dans cet ouvrage doit se traduire en projet politique.

Le trajet que les auteurs nous invitent à parcourir, depuis l'arrachement aux reflets trompeurs jusqu'à la contemplation, de l'autre côté du miroir, du monde tel qu'il est et surtout tel qu'il pourrait être, me rappelle une très ancienne histoire, racontée pour la première fois par Platon. Cette histoire est celle de personnes enchaînées au fond d'une caverne, qui contemplent les reflets du monde projetés sur l'une des parois. Platon leur demandait de s'arracher à ces illusions et d'entreprendre le parcours, parfois douloureux, qui conduit hors de la caverne. Là, les prisonniers libérés devaient contempler le soleil et les objets du monde réel. Ce livre vous aidera à accomplir ce périple. Mais Platon demandait ensuite à ces prisonniers libérés de retourner dans la caverne auprès de leurs ex-compagnons d'infortune pour y accomplir une mission à la fois pédagogique et politique. En ce sens, la suite des choses dépend de vous.

Si vous êtes convaincu par ce que vous aurez appris dans ce livre, vous devez en parler autour de vous, en discuter avec d'autres et ainsi faire exister ce projet politique porteur d'un autre monde, en montrant qu'il est tout à la fois possible et souhaitable.

Le monde où vous ferez tout cela est le monde réel. C'est celui dans lequel on lutte, on rencontre les autres et dans lequel on avance, petit à petit – dans lequel on aime, aussi. Ce monde-là n'est pas toujours lisse et rassurant, mais il est bien réel. Il ne dépend que de nous, de nos actions et de nos combats, qu'il soit meilleur.

Normand BAILLARGEON
mars 2005

Chapitre 1

Introduction

À UNE ÉPOQUE où l'on pensait avoir atteint un niveau de développement sans précédent qui permettrait de faire sortir des populations entières de la pauvreté endémique dans laquelle elles vivaient, voilà qu'une poussée extraordinaire des organisations possédantes vient relancer la concentration de la richesse. Dans les années 1960 et jusqu'au choc pétrolier, on a cru que le développement social suivait le développement économique. On prévoyait que, peu à peu, la nouvelle aisance dont bénéficiaient, bien qu'à des degrés divers, les Occidentaux, s'étendrait lentement mais sûrement à l'ensemble de la planète.

Or le réveil est douloureux. La concentration de la richesse dans les mains de quelques-uns n'a jamais été aussi importante. Non seulement la pauvreté a-t-elle continué de sévir, mais elle s'accompagne de l'exploitation systématisée des pays dits en voie de développement :

> L'argent sale – de la drogue, du trafic de faux médicaments, d'armes et de diamants ensanglantés, du pillage du patrimoine culturel africain, du trafic d'animaux sauvages protégés et du trafic d'êtres humains (en particulier celui d'enfants et de femmes) – coule à flots et reste indissociable de la multiplication des guerres de rapines qui balayent tout sur leur passage. (Bolya, 2002, p. 20.)

Cette exploitation maffieuse du continent africain se double d'un massacre physique et psychologique des populations, car l'Occident riche profite des guerres et des massacres qui s'y produisent en permanence. Il suffit de se souvenir du massacre perpétué au Rwanda, sous le regard des forces de l'ONU, pour saisir la situation. Il faut aussi penser à l'embrigadement de milliers d'enfants, abusés et drogués, devenus les soldats de seigneurs de la guerre qui sèment la mort et la dévastation.

> En Afrique, il est plus facile, pour un enfant, de se procurer une arme légère, une mine antipersonnel, qu'un jouet ou un cachet d'aspirine. Il lui est plus facile de se procurer de la drogue que des bonbons. Il lui est plus facile de devenir un enfant-soldat qu'un écolier. Il lui est, enfin, plus facile de devenir un « criminel de guerre », chiot drogué de guerre, qu'un médecin. (Bolya, 2002, p. 195.)

Cette concentration de la richesse s'exprime par une coupure sociale de plus en plus radicale, qui tient maintenant davantage de la faille que de la fêlure. Selon Chossudovsky (2004), le club des milliardaires de la planète, quelque 500 personnes, posséderait une richesse supérieure au produit intérieur brut (PIB) de plusieurs pays à faible revenu regroupant 60 % de la population mondiale. La puissance du club des milliardaires s'est accrue de manière exponentielle, quoique le nombre de leurs membres soit toujours infime, montrant comment la richesse se concentre de plus en plus fortement dans un nombre limité de comptes en banque. Pendant ce temps, des gens commencent à mourir de faim dans des communautés qui, avant, n'étaient certes pas riches, mais arrivaient tout de même à survivre :

> Un exemple : « Radhakrishnamurty et sa femme étaient à même de tisser entre 3 et 4 pachams (1 pacham égale 24 mètres) par mois, ce qui leur procurait le maigre revenu de 300 à 400 roupies (environ 30 dollars) pour une famille de six personnes. Puis intervint le budget fédéral du 24 juillet 1991. Le prix du filé de coton a bondi et la charge en a été transférée sur le tisserand. Le revenu de la famille Radhakrishnamurty est tombé à 240-320 roupies (environ 12 dollars) par mois. » Radhakrisnamurty, du village de Gollapalli, district de Guntur, est mort de faim le 4 septembre 1991. (Chossudovsky, 2004, p. 158-159.)

De tels chiffres font ressortir la nécessité impérieuse de partager la richesse, c'est-à-dire de bloquer le mouvement de concentration qui a comme conséquence extrême la mort des gens par inanition, quand le système de production n'en a plus véritablement besoin. Dans nos sociétés, l'instrument privilégié pour opérer cette répartition demeure la fiscalité.

La fiscalité est un instrument économique au sens premier du terme. Elle repose toutefois sur un ensemble de principes qui ont été largement dévoyés dans le discours populaire et même dans celui des décideurs. La fiscalité qu'on enseigne dans les universités se cantonne le plus souvent dans la recherche mercenaire de moyens pour aider les classes dominantes – plus particulièrement les dirigeants et les propriétaires d'entreprise – à contourner la *Loi de l'impôt sur le revenu*. Les législateurs se mettent alors à boucher ces trous, ce qui crée une loi compliquée et manquant singulièrement de cohérence. Quand on a réussi à faire croire à la population que l'impôt n'est qu'un ensemble douteux de règles pour prendre de l'argent dans ses poches, on a également consenti à ce que les riches se soustraient, sous le regard complaisant des gouvernements et celui, béat, des citoyens, à leurs obligations sociales élémentaires.

Notre premier travail sera de dépoussiérer les notions de base pour remettre les pendules économiques à l'heure. L'exercice sera salutaire à plusieurs égards ; il permettra entre autres d'imaginer une nouvelle allocation des ressources qui, dans le contexte idéologique et le rapport de force social actuel, aurait du mal à émerger.

1.1. Les sources économiques de la fiscalité

Dans un système qui fonctionnerait comme les textes de base de l'économie libérale le décrivent, on n'aurait pas besoin de fiscalité. Chacun serait rémunéré pour son apport dans le processus de production, en fonction de sa contribution marginale. Il n'y aurait donc pas de résidu à distribuer aux actionnaires. Les entrepreneurs travailleraient dans l'entreprise et gagneraient leur part en organisant le travail. L'entreprise, institution sociale, créerait la richesse en utilisant les ressources d'une manière optimale et répartirait ensuite cette richesse de la manière la plus équitable. Pour ce faire, elle n'aurait pas à se poser de question, puisque le mécanisme des prix [1] régulerait tout cela sans problème et que chaque groupe impliqué dans la production recevrait sa juste part de la valeur créée. Évidemment, il s'agit de sociologie fictive ; le système économique n'a jamais fonctionné selon les descriptions d'Adam Smith (Smith, 1991). Toute la question de la production de la richesse et de sa répartition première dans le processus même de production revient se poser au cœur de la réflexion sur la fiscalité.

Le mécanisme des prix ne fonctionne pas, parce que des externalités [2] viennent fausser le processus. Une externalité est un coût qui n'est pas pris en charge dans le processus de production-vente, mais exporté ailleurs dans la société. Plus encore, l'existence des marchés relève aussi du domaine de la pure fiction et la firme elle-même, comme intégration d'activités économiques, en constitue une des failles les plus probantes. Dans une pure économie de marché, il n'y a aucun avantage à l'intégration des activités. Grâce à la concurrence, chaque producteur atteint un tel niveau d'efficacité qu'il préférera acheter d'un autre producteur

1. Dans la théorie libérale classique, le prix est un parfait indicateur de la valeur. Il représente parfaitement l'ensemble des coûts qui entrent dans la fabrication d'un produit ou la production d'un service, si ces coûts sont efficients. Il est le point d'équilibre auquel le vendeur accepte de vendre (ses coûts sont couverts et il obtient un profit mininal) et auquel l'acheteur accepte d'acheter.

2. Prenons, par exemple, le cas d'une entreprise qui fabrique un produit quelconque très polluant (des pneus). Si les coûts de destruction du produit (les pneus) ne sont pas facturés à l'entreprise qui les fabrique, ces coûts n'entrent pas dans le prix de vente. Ainsi, celui qui achète les pneus ne paie pas un prix qui correspond au vrai coût de production du produit. Il fait ainsi un choix qui n'est pas optimal en termes économiques. Nos économies sont remplies de coûts externalisés, notamment les coûts environnementaux ; le mécanisme des prix ne fonctionne donc plus et, de ce fait, les équilibres économiques ne se font pas (à supposer qu'ils seraient possibles autrement).

les produits en amont de sa propre production, car celui-ci aura atteint, dans sa propre production, un niveau d'efficacité tel que ses prix seront les plus bas possible. Quand une firme trouve des avantages à produire elle-même le produit qui est en amont de sa production principale, c'est qu'il y a un problème dans le système de marché. Ce problème est reconnu depuis longtemps dans les théories de la firme[3]. La concentration des activités que nous connaissons dans les firmes actuelles, qui est parfois immense, témoigne de l'absence de marchés au sens premier du terme. Une preuve indubitable de l'absence de marchés efficaces est la réglementation actuelle des activités économiques. Les États-Unis, ce haut lieu de la libre entreprise, sont aussi le pays de la Security and Exchange Commission, qui régit les opérations de la Bourse, et celui du Financial Accounting Standard Board, qui édicte les normes comptables ; ces deux organismes n'existeraient pas dans un marché conforme aux théories économiques libérales classiques.

Abolissant les conditions du marché pour fonder son existence même, la firme transnationale est le théâtre, à l'intérieur de ses propres frontières internes, des deux tiers des transactions quotidiennes mondiales. La firme abolit le marché à l'intérieur de ses limites car elle empêche la négociation constante des conditions de production pour les fixer à long terme et remettre l'autorité entre les mains de l'entrepreneur. L'entreprise est donc une économie planifiée à structure autoritaire ce qui, étrangement, correspond à peu près à la définition que l'on donnait de la structure économique de l'URSS. Cependant, si les mécanismes internes de l'entreprise fonctionnent comme ceux que l'on a

3. Dans une économie libérale fonctionnant parfaitement, il n'y aurait pas d'intégration des activités, comme dans la plupart des entreprises modernes, car il n'y aurait aucun avantage à cette intégration. Cependant, dans ce type d'économie, chaque contrat serait constamment et quotidiennement négocié et chacun aurait toujours une solution de rechange valable qui ferait du contrat une entente librement consentie. Les théories de l'entreprise expliquent pourquoi cette situation idéale ne se produit jamais : cela coûterait plus cher de renégocier tous les contrats constamment, des coûts sont associés à chaque transaction, il y a une asymétrie de l'information, etc.

connus en URSS, on prétend imposer une vision idéologique du marché à l'extérieur de l'entreprise, comme seule forme possible de fonctionnement économique. Ces distorsions des conditions économiques mènent à des taux de concentration de la propriété et à des parts de marchés qui produisent des profits exorbitants. Loin d'être le signe d'une santé économique, ces résultats démontrent au contraire la perversion du système. Notons toutefois qu'il est exagéré de parler de perversion du système comme si le paradis décrit par l'économie libérale avait déjà existé, alors qu'il n'est qu'une utopie au sens premier du terme (qui n'a pas de lieu).

La fiscalité vient donc pallier les faiblesses du marché, voire l'absence de marché. Il suffit de compter les pages du texte de la *Loi de l'impôt sur le revenu* pour se faire une idée de l'importance de ces faiblesses, surtout si l'on considère que le partage du fardeau entre les couches sociales qui en résulte est aussi très loin d'une réelle justice. En effet, le nombre de dispositions de la loi fiscale reflète surtout les avantages que le fisc accorde aux riches et aux entreprises (échappatoires, crédits, etc.), et le fait que la jurisprudence reconnaît au contribuable le « droit » d'arranger ses affaires de façon à payer le moins d'impôt possible. Or la fiscalité, dans ce système, devrait être un outil important de justice sociale.

Aux problèmes économiques viennent s'ajouter les problèmes politiques et, au Canada, les problèmes des répartitions arbitraires dues au contrôle total de la Constitution par le gouvernement fédéral et à la veulerie de nos gouvernements provinciaux. Plusieurs questions ou idées reçues doivent être passées au crible de notre jugement ; parmi celles-ci se trouve la question du déséquilibre fiscal.

1.2. Le déséquilibre fiscal

Le gouvernement du Québec partage avec le gouvernement fédéral le pouvoir de taxer. Cependant, les deux gouvernements s'adressent aux mêmes citoyens et devraient normalement, dans l'esprit de la Constitution, coordonner leurs efforts et ne prendre chacun que ce qui est nécessaire pour assumer ses responsabilités. Or, sur la base de principes douteux, le gouvernement fédéral a décidé de dépasser les limites de ses besoins et d'étouffer doucement les provinces en les privant des sources de revenus nécessaires pour assumer leurs responsabilités, justement.

Le déséquilibre fiscal est un fait. Quand Jean Charest revient d'Ottawa en annonçant que l'argent versé pour le ministère de la Santé pourra être dépensé là où le décidera le gouvernement du Québec, on peut apprécier le geste[4], mais il est bien timide en regard de la nécessaire contestation de l'ingérence du fédéral dans des domaines qui ne lui appartiennent clairement pas. Il faut sortir de cette surimposition fédérale qui étouffe les gouvernements provinciaux, municipaux et même scolaires et qui engendre des effets d'une dangereuse perversion. Ces effets sont d'ailleurs visibles dans le projet de loi 62 sur les compétences municipales : le gouvernement y suggère clairement aux municipalités d'aménager les rivières pour se créer des revenus.

Évidemment, si l'on réformait la fiscalité québécoise, on trouverait des marges de manœuvre. Cependant, il faut dire que le même traitement appliqué au gouvernement fédéral libérerait aussi des sommes intéressantes. La question centrale est l'intrusion massive du gouvernement fédéral dans les champs de compétence provinciale, en vidant les coffres des provinces. Il est essentiel de se rappeler que les taxes perçues par le fédéral viennent d'abord, forcément, des citoyens et des entreprises habitant et exerçant leurs activités économiques dans les provinces et que, territorialement parlant, elles ne peuvent qu'y retourner. Donc, à partir du moment où le gouvernement fédéral taxe, ce ne peut être logiquement que pour des fins communes ou pour une répartition de la richesse entre les provinces canadiennes. Toute autre base de péréquation devient une perversion du système fédéral.

4. On pourrait croire, un fugace instant, que le gouvernement libéral du Québec pourrait se tenir debout devant le gouvernement libéral d'Ottawa et réclamer le retrait de ce dernier des champs de compétence provinciale, de même que celui des impôts correspondants.

De nécessaires réformes fiscales devraient aussi reconnaître l'apport de plus en plus important de la technologie dans la création de la richesse. Le problème est multiple. Les nouvelles technologies sont souvent sous compétence fédérale, à cause de la clause résiduaire [5] remettant au gouvernement canadien tout ce qui n'existait pas lors de sa ratification (les télécommunications, etc.). Cette clause fonctionne comme si, avec le temps, le pacte confédératif se transformait lentement en centralisation fédérale par le seul apport des nouvelles technologies. Les provinces ont donc signé une entente qui les marginalise à long terme.

La question de la technologie joue aussi à un autre niveau. Les nouvelles technologies produisent de la richesse qui échappe, en grande partie, à une imposition qui se concentre sur les revenus d'emploi. L'apport de la technologie et son imposition correcte remettent ainsi en question le spectre du manque de richesse pour soutenir les *baby-boomers* devenus vieux.

1.3. Combien de machines pour chaque « vieux » ?

On a tous entendu les Cassandre de la catastrophe annoncée lors de la retraite des *baby-boomers*. On prétend qu'il y avait auparavant quatre jeunes au travail pour soutenir chaque retraité et qu'au moment où les *boomers* prendront massivement leur retraite, il y aura un jeune au travail pour quatre d'entre eux. Et tout le monde de s'inquiéter pour sa retraite, car il n'y aura plus assez de travailleurs pour la payer.

La question est très mal posée ; elle devrait plutôt se situer

5. Il s'agit de la clause qui accordait au contrôle fédéral toutes les matières qui n'étaient pas textuellement attribuées aux provinces ou qui allaient être inventées après la signature de l'entente. C'est le cas des communications satellites. Par conséquent, le domaine de compétence des provinces demeure stable alors que celui du Canada est destiné à toujours s'élargir, alimenté par ces nouveautés techniques. Ce partage des pouvoirs portait donc le ferment du centralisme à long terme.

sur le plan de la quantité de richesse que nous produisons par rapport à la population que nous devons soutenir. Or, chaque fois que nous assistons à une reprise économique, nous produisons toujours plus avec toujours moins de travailleurs ; ce n'est donc plus le nombre de personnes au travail qui détermine la quantité de richesse produite. La question devient alors : combien de machines sont nécessaires pour chaque personne âgée ou, devrions-nous dire, pour chaque travailleur sorti du processus de production ? Notons, au passage, que de plus en plus de gens sortent relativement jeunes du marché du travail. Alors que certains ont les moyens de subvenir à leurs besoins, plusieurs ont été jetés dans une retraite forcée par la perte de leur emploi à un âge – aussi bas que 50 ans parfois – où il devient difficile d'en trouver un autre. D'autres aussi ont vu fondre leurs revenus de retraite à la suite de placements malheureux des gestionnaires de leur caisse de retraite.

Au moment où le travail devient de moins en moins important comme facteur de production, notre fiscalité glisse de plus en plus de ce côté ; non seulement les gains de capitaux sont régulièrement détaxés, mais la fiscalité des entreprises est de plus en plus liée au travail. Avec les déductions pour petites entreprises, les bénéfices de fabrication et de transformation et les crédits de toutes sortes, les entreprises paient souvent des taux d'impôts sur les bénéfices dérisoires, inférieurs à 5 %. De plus, le gouvernement libéral a décidé de poursuivre la politique péquiste et d'éliminer la plus grande partie de la taxe sur le capital, taxe difficile à éviter pour les entreprises, car il est malaisé de cacher ses sources de financement. Il ne reste donc plus que les cotisations liées à la masse salariale, qui sont si décriées par les entreprises, sans doute parce que ce sont les dernières « taxes » qui subsistent. De plus, ces cotisations sont des incitations à diminuer encore la force de travail et à transformer les employés en « faux » travailleurs autonomes.

Pendant ce temps, les bénéfices de la technologie disparaissent, à peine taxés, dans les coffres des entreprises. En conséquence, une grande partie de la richesse créée échappe à la taxation et donc au processus de redistribution. Et les entreprises continuent de se plaindre qu'elles sont surtaxées.

Les bénéfices de la technologie sont moins taxés, comme nous le verrons en détail dans le chapitre consacré à la fiscalité des entreprises, parce que les prélèvements provenant des entreprises sont de plus en plus constitués des taxes liées à la masse salariale.

1.4. Un autre épisode de la série « pauvres riches »

Soutenues par nos gouvernements, les entreprises ne cessent de répéter qu'elles paient trop d'impôt, que l'impôt fait fuir les investissements, que les cadres de qualité ne veulent pas venir au Québec à cause des impôts et que les « cerveaux » fuient le pays. Le gouvernement québécois lui-même a mené des études montrant que le Québec était, sur le plan fiscal, dans une position concurrentielle très intéressante par rapport à ses voisins, du moins en ce qui concerne la question des entreprises. Mais les études restent dans les ministères tandis que les peurs sont reprises et répandues par des médias dont la concentration s'accentue toujours et devient de plus en plus inquiétante. Ces entreprises garnissent de moins en moins les coffres de l'État. Elles bénéficient par ailleurs de subventions importantes, qui viennent parfois oblitérer les impôts payés. Plusieurs entreprises profitables ne paient aucun impôt[6] et le gouvernement fait très peu (doux euphémisme) pour contrer l'évasion fiscale. Il va même jusqu'à rendre déductibles les frais engagés pour créer des filiales dans les paradis fiscaux. On voit même des ministres des Finances déplorer que les charges fiscales diminuent la rentabilité de l'entreprise, comme si le profit privé était une victoire de l'État plutôt que le signal d'un besoin pressant de réglementation.

La diminution graduelle de l'apport des entreprises dans le

6. Comme nous le verrons au chapitre 3, plusieurs entreprises ayant un revenu imposable positif ont reçu des remboursements, tandis que d'autres entreprises dans le même cas n'ont payé aucun impôt.

fonctionnement de l'État et l'augmentation de l'apport de l'État dans le fonctionnement des entreprises ne cessent de créer des problèmes pour le financement des dépenses gouvernementales et de générer des pressions sur le budget de l'État. Une de ces pressions, qu'on brandit comme un épouvantail, est la dette.

1.5. La dette nous guette

La dette apparaît comme un monstre aux multiples tentacules. Il faut distinguer la dette issue des dépenses courantes de celle qui provient de l'investissement. Or les dettes qui servent à l'investissement constituent un phénomène parfaitement légitime. En dépit de ce qu'en pense Mario Dumont, on ne peut pas gérer l'État comme on gère le budget familial. Si l'État décide de construire un bien qui va durer 50 ans, il le finance normalement avec un emprunt qui s'étend sur la période complète de 50 ans. À ce moment, les utilisateurs du bien – les citoyens – paient pendant que le bien est en état de fonctionner. Si l'on attendait d'avoir l'argent pour construire, par exemple, un édifice, on ferait payer les gens d'aujourd'hui pour les services de demain, dont ils ne bénéficieraient pas. Le cas des pensions est similaire. On a toujours payé les pensions à mesure qu'elles devenaient exigibles. Autrement dit, nous payons aujourd'hui pour les retraités de maintenant. Si l'on décide de mettre de l'argent de côté pour payer les pensions des retraités de l'avenir, on fait payer les contribuables actuels pour les retraités d'aujourd'hui et pour ceux de demain en même temps.

De toute façon, tant que le gouvernement du Québec a des dettes sur lesquelles il doit payer des intérêts, il serait ridicule de commencer une réserve de fonds de l'autre côté. Ce n'est pas comme pour l'argent versé par les contribuables précisément pour leur retraite (RRQ) ; l'État n'est que fiduciaire de ces sommes (ces sommes appartiennent aux travailleurs et l'État les gère, comme tout gestionnaire de fonds de pension doit le faire).

L'équité fiscale n'est pas aussi simple qu'on voudrait bien nous le faire croire. Or une bonne partie de la question de la dette est liée à l'équité fiscale temporelle, c'est-à-dire le rapport entre le moment où une dépense est engagée et celui où ceux qui vont en profiter l'encaissent réellement. Par exemple, certains dirigeants voudraient bien faire dire aux jeunes que les *boomers* ne leur laissent que des dettes qui ont financé leurs emplois bien rémunérés dans la fonction publique. C'est une vision bien étroite : les *boomers* ont certes accumulé des dettes, mais ils ont aussi laissé un actif. Pensons au nombre d'écoles, d'universités, d'hôpitaux, etc., que nous avons, comparé à ce que nous avions en 1960, toutes proportions gardées... Nous y reviendrons plus loin.

À partir du moment où il existe une dette, toutes les dépenses fiscales, ou même toutes les dépenses de programme, peuvent être accusées d'augmenter la dette quand cela fait l'affaire de l'un ou de l'autre.

Enfin, disons simplement que la plus grande partie de la dette réelle est détenue par des Québécois, à travers les obligations du gouvernement ou d'Hydro-Québec, par exemple (car la dette d'Hydro-Québec est, la plupart du temps, ajoutée à celle du gouvernement). Il est peu probable que la Banque mondiale débarque demain matin avec ses huissiers pour saisir le compte de banque du gouvernement et ceux de tous les citoyens du Québec.

Ce que nous faisons de la dette ne doit pas être le simple résultat d'un calcul faussé par l'intérêt de ceux qui ne veulent pas payer leur part, mais découler d'une vision sociale.

1.6. Politique fiscale et vision sociale

Les articles de la *Loi de l'impôt sur le revenu* font preuve d'une vision du monde fort répandue dans notre société, bien que davantage représentative de la frange la plus conservatrice et la mieux nantie. En étudiant les montants déductibles et ceux qui ne le sont pas, on voit se dessiner tout un profil de ce que sont les bons et les mauvais comportements dans notre société. La *Loi de l'impôt sur le revenu* est donc un miroir de la société et devient, de ce fait, une source très riche d'analyses sociologiques.

La fiscalité se pose alors comme un moyen de façonner la société. Les règles fiscales sont des incitatifs à agir de telle ou telle manière. La fiscalité finit par être considérée comme un outil pour récompenser les bons et punir les méchants. Si vous étiez mariés, vous faisiez partie des bons, tandis que si vous étiez en union libre, vous étiez du côté des méchants et la Loi vous punissait[7]. Mais la fiscalité sert aussi sur le plan économique. Par exemple, l'État se rend compte que, dans un secteur, les actifs sont trop vieux. Pour aider les entreprises à les renouveler, le gouvernement peut consentir un amortissement accéléré, ce qui diminue la charge fiscale immédiate des entreprises et leur laisse plus de fonds pour procéder à l'achat d'équipements, ce qui permettra de remédier à la situation.

Le financement électoral est un bon exemple d'incitation qui confine à la mauvaise foi. Un individu qui donne jusqu'à 400 $ de contribution politique reçoit 75 % en crédit d'impôt. Si le parti satisfait certaines conditions, on lui rembourse 50 % de ses dépenses électorales. Le gouvernement va donc dépenser 125 % de la dépense électorale, alors que les partis sont obligés de courir après les fonds pour se financer. Bref, le gouvernement québécois (qu'il soit incarné par le Parti libéral ou le Parti québécois) est prêt à dépenser 25 % des fonds des citoyens *en plus* pour favoriser les partis en place, alors qu'il pourrait trouver une façon de mieux soutenir les partis en émergence, améliorant du même coup le niveau démocratique de notre société. Le principe sous-jacent stipule que les électeurs choisissent quels partis ils veulent soutenir. Cependant, dans le système électoral actuel, cette façon de faire constitue une autre taxe à l'entrée, pour les nouveaux partis, comme si le mode de scrutin ne constituait pas déjà un élément suffisant de dissuasion.

Enfin, dans le même ordre d'idées, il existe les « taxes vertes », qui sont censées limiter les dégâts environnementaux et inciter à

7. Nous écrivons cette phrase au passé, car la situation a un peu changé à cet égard et, fiscalement, les unions libres obtiennent maintenant une certaine reconnaissance.

diminuer la pollution. Premièrement, pour qu'elles fonctionnent réellement, il faudrait simplement les appliquer. Or le gouvernement, quand il s'agit des entreprises, applique souvent assez mollement les règles fiscales [8]. Ensuite, il ne faut pas que la « taxe verte » devienne un droit de polluer [9].

De quel droit un gouvernement pourrait-il vendre des droits de polluer qui deviendraient une hypothèque sur le monde à laisser aux générations futures ? La fiscalité doit répartir la richesse et protéger la société. Il faut viser la meilleure répartition possible.

1.7. Le revenu de citoyenneté

Une des façons privilégiées d'améliorer la justice fiscale, et ainsi la justice sociale, est le revenu de citoyenneté. En assurant un revenu de base permettant à tous de vivre décemment, on rétablirait un équilibre financier essentiel dans la société. De plus, quand chacun peut jouir sans stress excessif des conditions minimales de vie, les pressions sur le système de santé diminuent. La première étape de la prévention des maladies consiste à donner à tous des conditions de vie qui les protègent de la maladie. C'est vrai pour l'environnement et pour les OGM, mais c'est aussi vrai pour le logement, la nourriture et les besoins fondamentaux.

Dans les derniers chapitres de ce livre, nous allons simuler l'établissement d'un revenu de citoyenneté universel suffisant. Ce revenu sera évidemment récupéré chez les contribuables des classes de revenus supérieures. Les chiffres avancés peuvent faire peur, puisque nous multiplions le budget du Québec par trois. Cependant, il ne faut jamais se laisser impressionner par les

8. Lors des audiences du Bureau d'audiences publiques sur l'environnement (BAPE), les fonctionnaires du ministère de l'Environnement ont parlé de « démarche d'accompagnement » avec les entreprises. On est loin de la répression et, pendant ce temps, ces entreprises accompagnées continuent de polluer.

9. Tant que l'amende, par exemple, est inférieure à ce qu'il en coûterait pour cesser de polluer, on peut la considérer comme la vente à rabais d'un droit de polluer. Quand l'amende va dépasser les coûts d'option, les entreprises vont préférer diminuer la pollution plutôt que de payer les amendes.

chiffres en eux-mêmes ; ce sont les résultats qui comptent et, dans le cas qui nous occupe, ces résultats sont une plus grande justice sociale et une meilleure répartition de la richesse collective.

1.8. Une fiscalité progressiste

Comme on le voit, la question de la fiscalité a de multiples facettes et ne se règle pas en quelques formules bien senties. Cependant, disons tout de suite qu'une fiscalité progressiste simplifierait considérablement la chose. La plupart des échappatoires fiscales seraient éliminées au profit d'un système beaucoup plus simple et plus direct. La fiscalité servirait ainsi beaucoup moins de carotte pour faire avancer les ânes et beaucoup plus à une vraie mise en commun de la richesse collective, surtout si l'on considère que ces incitatifs sont le fait de groupes de pression dont les intérêts embrassent rarement ceux de la collectivité.

Ce texte veut montrer, le plus clairement possible, comment le gouvernement du Québec se finance, quelles sont ses sources de revenus et quelles sont les questions liées à leur perception. Il se situe donc d'emblée à deux niveaux : il cherche d'abord à mettre en lumière les philosophies sociales et politiques derrière les formes particulières de fiscalité et, ensuite, à montrer leurs applications dans le budget du Québec.

Nous voulons aussi montrer *qui* paie vraiment les impôts et *qui* échappe à cette nécessité. Il existe des différences notables entre l'impôt théorique – celui qui correspond aux discours qu'on entend – et l'impôt réellement payé une fois que tous les programmes de déductions ont été utilisés.

Enfin, nous voulons aussi montrer qu'un revenu de citoyenneté se finance très bien et que, en fin de compte, tout est une question non pas de chiffres bruts, mais de répartition de la richesse en accord avec l'esprit fondamental de la fiscalité vue dans une perspective progressiste.

Chapitre 2

Richesse collective et fiscalité

« À la minceur des épluchures,
on voit la grandeur des nations. »

Jacques Brel

LES IMPÔTS CONSTITUENT une façon de répartir la richesse dans notre société. Si l'économie libérale fonctionnait comme elle a été décrite par Adam Smith, par exemple, il n'y aurait pas d'impôt, car la répartition serait naturellement bien faite. L'existence d'une structure étatique constitue un aveu que l'économie de marché ne fonctionne pas, du moins en partie. Or cette partie est de plus en plus importante.

Il faut dire que les descriptions de Smith ou de Ricardo ont été faites avant le capitalisme industriel, à une époque de capitalisme mercantile où les relations entre les agents économiques étaient plus directes. Cela dit, le monde n'a jamais fonctionné selon la définition classique de l'économie. De plus, les économistes ont largement ignoré la question du partage, principalement parce qu'ils ont considéré implicitement la planète comme un univers aux ressources infinies, dont la propriété revenait à celui qui la réclamait. L'idée que le voyage collectif que nous faisons sur ce vaisseau spatial pourrait conférer à la collectivité quelque droit de regard sur l'utilisation de ses ressources ne les a pas effleurés.

2.1. Les marchés qui ne fonctionnent pas

Dans l'économie de marché, il n'y a pas d'entreprise au sens moderne du terme. Par entreprise, ici, on entend une organisation de production dont les activités sont intégrées. En théorie, chaque producteur devrait être tellement efficace dans son activité et la concurrence devrait être si dure que les coûts de production et les prix seraient réduits au minimum. Alors il n'y aurait aucun avantage à fabriquer un nouvel élément soi-même, puisqu'on ne pourrait pas espérer le faire pour un prix moindre que celui auquel on peut l'acquérir. Dans un tel système, le profit aussi est réduit au minimum.

> De fait, la théorie de l'économie néoclassique considère que les profits sont nuls dans des marchés parfaitement compétitifs, une condition qui semble sacrée pour cette même théorie. Les profits peuvent naître d'une situation de monopole, de l'innovation, des efforts de l'entrepreneurs, des imperfections du marché comme les barrières à l'entrée dans un marché ou de l'asymétrie d'information – mais toutes ces situations sont considérées comme étant indésirables ou temporaires. Donc, au mieux, les profits sont passagers et constamment mis en péril par les pressions de la compétition. (Frederick, 1995, p. 52, notre traduction.)

Ce système sans profit est le capitalisme théorique auquel on se réfère tout le temps dans le discours politique – et qui n'existe que là, d'ailleurs.

Dans ce système, tout est renégocié à chaque transaction pour tenir compte des nouvelles conditions du marché. Autrement dit, chaque matin, les employés négocieraient un par un avec le patron la quantité à produire dans la journée et la rémunération contre laquelle ils sont prêts à le faire. Dans cette perspective, le contrat de vente, qui est à la base de la démarche marchande, devient un contrat de travail qui délègue à l'entrepreneur l'autorité d'organiser le travail pour une longue période.

Cette version néolibérale de la théorie sert de base à nos dirigeants quand ils nous parlent de marché. C'est évidemment la même chose que s'ils nous parlaient de la planète Mars. Malheureusement, ils prennent bien souvent leurs décisions à partir de cette fiction, ou pire encore :

> Au sein de l'administration Clinton, j'avais adoré les débats dans lesquels j'avais parfois gagné, parfois perdu. En ma qualité de membre du cabinet du président, j'étais bien placé non seulement pour les observer et voir comment les problèmes étaient tranchés, mais aussi, notamment s'ils touchaient à l'économie, pour y participer. Je savais bien que, si les idées sont importantes, la politique compte également, et ma tâche consistait en partie à persuader les autres que mes propositions n'étaient pas seulement économiquement souhaitables mais encore de bonne politique. Or, quand je suis passé à l'international, j'ai découvert que la prise de décision n'était régie par aucun de ces deux facteurs, en particulier au Fonds monétaire international. Elle était fondée, semble-t-il, sur un curieux mélange d'idéologie et de mauvaise économie, un dogme qui parfois dissimulait à peine les intérêts privés. (Stiglitz, cité par Maris, 2003, p. 70.)

Les entreprises que nous connaissons constituent une faille du marché, puisqu'elles considèrent rentable d'intégrer leurs activités soit verticalement dans une série, soit horizontalement. Quand on pense que certaines de ces entreprises atteignent des tailles si gigantesques que, dans les 50 plus grandes entités économiques du monde (la plus grande de ces entités étant les États-Unis), se trouvent au moins 25 entreprises (Mitsubishi, Mitsui, Itochu, General Motors, etc.) et que plus de 60 % des transactions faites chaque jour dans le monde se passent à l'intérieur des groupes multinationaux – c'est-à-dire dans une zone de non-marché –, on peut se demander de quoi nos dirigeants parlent quand ils réfèrent à un supposé marché. Les 200 plus grandes entreprises ont, ensemble, des chiffres d'affaires supérieurs au produit intérieur brut cumulé de 185 pays. Or on dénombre à peine plus de 200 pays !

L'entreprise existe en abolissant le marché en son sein [1], elle est une *maquiladora* [2] privée, une zone ou les « lois du marché » n'ont pas cours. C'est pourtant au nom du marché qu'elle prétend exister et elle est couramment perçue comme l'incarnation naturelle de l'économie de marché.

Maintenant que nous avons évoqué l'abolition du marché à l'intérieur de l'entreprise, regardons ce qui se passe autour d'elle. L'entreprise est censée être une bonne façon de générer et de répartir la richesse dans nos sociétés, parce que la concurrence intervient pour la discipliner. La théorie veut qu'il n'y ait pas de barrière à l'entrée : c'est plus pratique. Donc, selon la théorie, si je désire lancer une entreprise de sidérurgie ce matin, je peux le faire, sans considération des centaines de millions, voire des milliards de dollars nécessaires. Alors, tant qu'il y a des profits dans un secteur, il y aura de nouvelles entrées qui forceront les joueurs à réduire leurs profits pour rester concurrentiels. Ceux qui pourront réduire suffisamment leurs profits seront les plus efficaces dans leur processus de production et donc ceux qui ne gaspillent pas de ressources. En conséquence, en théorie bien sûr, le système économique libéral produit une utilisation optimale

1. Nous avons dit que, pour qu'il y ait marché, chaque transaction devait être négociée sur un marché libre, c'est-à-dire un marché dans lequel il existe toujours d'autres possibilités intéressantes. Chaque jour, chaque travailleur définirait donc ses conditions de travail avec l'entrepreneur ou, faute d'entente, il irait ailleurs. Il est évident que cette façon de faire ne peut pas fonctionner dans la pratique, car les coûts de transaction qui y sont rattachés sont énormes, ne serait-ce qu'en termes de temps. Donc, tout le monde s'entend sur des contrats à long terme et remet à l'entrepreneur l'autorité sur le processus de production, également à long terme. De ce fait, on ne négocie plus à l'intérieur de la firme (sauf tous les 3 ou 5 ans, au mieux), et il n'y a ainsi plus de marché à l'intérieur de la firme. De la même façon, l'intégration verticale des activités à des prix imposés constitue une autre abolition du marché dans la firme. Les prix de cession interne ne peuvent pas être les supposés prix du marché, du moins tout au long de la chaîne, puisque ce serait alors la démonstration que l'arrangement d'activités que constitue la firme ne présente aucun avantage pour chacune des activités par rapport à une situation où elles seraient autonomes.

2. Les *maquiladoras* sont les entreprises qui fonctionnent dans les zones franches au Mexique. Dans ces zones, la plupart des lois sont abolies, ce qui a pour conséquence que les travailleurs y sont traités comme du bétail.

des ressources. Or c'est là un des buts importants de tout système économique : générer et répartir la richesse tout en utilisant les ressources d'une manière optimale.

Dans ce contexte, on nous pardonnera de le répéter, le profit devrait être minimal.

> Bien entendu, ces conditions sont totalement utopiques, idéales et même au-delà, tout simplement idéologiques. Elles expriment un rêve ou une doctrine. Mais, comme se plaisent à dire tous les économistes, elles sont un « point de départ ». Partons de l'idéal et approchons-nous pas à pas de la réalité, de la « concurrence imparfaite ». Longtemps, jusque dans les années 1970, les économistes sont restés dans l'idéal, le rêve de la pureté de la concurrence. Maintenant, enfin, ils cherchent à expliquer les prix sur des marchés imparfaits mais réels : pétrole, sucre, autos, Bourse… (Maris, 2003, p. 110.)

Certains économistes comme Schumpeter[3] ont discuté ce concept d'une manière très réaliste, reconnaissant l'impossibilité (le caractère abstrait) des conditions qui annulent le profit. La portion de profit témoignant d'un déséquilibre permanent, vient aussi, selon Schumpeter, de l'innovation technologique. Deux questions se posent alors dans notre environnement réel : qui finance vraiment l'innovation technologique ? Où ces frais sont-ils comptabilisés ?

L'innovation technologique est principalement financée par les gouvernements. Les entreprises reçoivent des sommes considérables ou des crédits fiscaux pour faire une recherche qui n'est bien souvent que cosmétique. Aux États-Unis, pays de l'entreprise triomphante, le plus grand moteur de développement technologique a été la NASA, financée par le gouvernement américain. La part réelle des entreprises dans la découverte de nouvelles technologies demeure marginale. Elles se contentent habituellement d'adapter des découvertes ou de mettre en marché de nouveaux produits très semblables à ceux qui existent déjà (ce que

3. Nous citons Schumpeter ici, parce qu'il est un des économistes à avoir discuté profondément du profit et à avoir tiré une synthèse de toutes les opinions sur la question.

font massivement les entreprises pharmaceutiques pour renouveler des brevets arrivant près de leur date d'échéance).

De plus, tous ces frais sont déjà pris en compte quand on arrive au profit ; donc le profit est ce qui reste *après* avoir considéré les dépenses de recherche et de développement. Il faut bien comprendre que le profit dont parlait Schumpeter n'est pas exactement le même que celui qu'on trouve à la ligne finale des états financiers.

Quand les entreprises pharmaceutiques justifient 50 % de profit en disant qu'un tel taux est nécessaire pour faire de la recherche sur les médicaments, elles mentent. Leurs frais de recherche sont déjà déduits depuis longtemps au moment de calculer leur profit. Les 50 % de profit sont donc calculés une fois déduits les frais de recherche et de développement[4]. Dans plusieurs cas, les compagnies paient les universités, à rabais, pour effectuer des recherches dont elles garderont par ailleurs les droits. Il s'agit d'une autre façon de faire subventionner la recherche par le gouvernement, par l'intermédiaire du système universitaire. Alors qu'on nous parle de partenariat dans lequel l'entreprise aide l'université à se financer, il s'agit en fait d'utilisation à rabais, par des entreprises privées, de compétences exceptionnelles et d'infrastructures publiques.

> Un chercheur aux États-Unis écrit un projet de recherche et commence à chercher du financement. Il approche le gouvernement ou quelque organisme public et, pour l'exemple, il reçoit une subvention de 100 000 $. L'université où ce chercheur travaille a une politique de frais généraux qui peut aller jusqu'à 50 % des sommes reçues. Cela signifie que l'université prendra 50 000 $ pour

4. Pour qui ne serait pas familier avec ces notions, disons simplement que le bénéfice net arrive après que toutes les dépenses ont été prises en compte. Normalement, et suivant en cela l'influence américaine, les frais de recherche et la plupart des frais de développement sont passés dans les dépenses de l'année pendant laquelle ils sont engagés. C'est donc dire que le bénéfice n'apparaît qu'après que ce qui a été dépensé en recherche a été pris en compte. Donc, s'il reste 50 % de profit sur le capital, c'est après toute dépense de recherche et de développement, pas avant. On pourrait donc obtenir 10 % de bénéfice net, comme bien d'autres, et avoir fait des recherches équivalentes.

> payer l'électricité, fournir l'entretien et tous ces services dits de soutien. Maintenant, supposons que le même chercheur s'adresse à Big Pharma et soit payé par patient. Disons que le montant est de 3 500 $ par patient. Plus l'étude est importante, plus les frais sont importants. Dans ce cas, les coûts du chercheur peuvent être de 1 500 $, ce qui lui permet de réaliser 2 000 $ de surplus par patient. De cela, au lieu du 50 % de frais généraux, il paiera à l'université une part réduite des honoraires, habituellement 15 %. C'est un exemple typique de la façon dont les fonds publics peuvent subventionner la recherche privée. (Robinson, 2001, p. 71, notre traduction.)

Les universités sont prêtes à laisser aller une bonne partie de leurs principes et de leurs calculs de coûts habituels pour obtenir des fonds que le gouvernement, lui aussi à la solde de ces entreprises, leur refuse de plus en plus. La course aux partenariats à rabais est donc ouverte et les fonds publics qui restent dans l'enseignement supérieur servent à subventionner l'entreprise privée. Les universitaires travaillent dans leurs laboratoires payés par les fonds publics, avec des assistants hautement qualifiés, payés aux tarifs des étudiants universitaires – c'est-à-dire plusieurs fois moins que dans les laboratoires privés – et motivés par les diplômes à obtenir. L'entreprise, quant à elle, n'a plus à investir dans la construction de laboratoires coûteux ni à les entretenir entre chaque projet. Elle ne paie plus les chercheurs dans les périodes creuses, ne paie qu'une fraction du prix pour les spécialistes et une fraction moindre encore pour les assistants. Les bénéfices ne peuvent qu'être énormes : les risques sont presque tous pour l'institution et les profits qui en découlent sont pour l'entreprise.

Si l'État prend en charge l'essentiel de la recherche, surtout de la recherche pure, pourquoi les entreprises en obtiennent-elles les droits ? C'est tout le problème de la théorie qui rejoint la réalité, c'est-à-dire celui des imperfections du système et de son détournement au profit de quelques-uns.

2.2. Les frontières de la solidarité

Cette question s'est posée d'une manière directe en Angleterre, au moment de la *poll tax* de Margaret Thatcher, qui a soulevé un immense mouvement d'opposition et a été une des grandes raisons de son départ. Elle se pose de nouveau et de façon semblable dans deux villes de la Saskatchewan, Swift Current et Waldeck, où les taxes foncières des riches sont réduites. Cette réduction est compensée par les propriétaires à revenus modestes au moyen d'une *poll tax* partielle (Neufeld, 2004-2005).

En Angleterre, les communautés locales ont de très grandes responsabilités. Elles s'occupent de prestations sociales, de logements sociaux et d'une foule de services. Ces communautés locales sont nombreuses. Le grand Londres en compte plusieurs dizaines. Le principe de la *poll tax* était que la taxe municipale devenait payable non plus en fonction de l'évaluation, mais en fonction des personnes et compte tenu du budget de la municipalité. C'est une taxe éminemment régressive, puisqu'au lieu d'augmenter avec les revenus, elle augmentait à mesure que le revenu diminuait. Une taxe progressive est une taxe qui sert à redistribuer la richesse. Une taxe régressive n'atteint pas ce but fondamental de la fiscalité ; la *poll tax*, Robin des bois à l'envers (*Robbing Hood*), prenait aux pauvres pour donner aux riches, ne serait-ce qu'en les déchargeant d'une part du fardeau social. Évidemment, cette décision faisait suite à des compressions dans les transferts du gouvernement central vers les municipalités.

Le résultat, dans de telles circonstances, est que les municipalités qui comptaient le plus de pauvres devaient engager des dépenses beaucoup plus importantes que celles qui en avaient moins, puisque les services sociaux étaient à leur charge. Or, on le sait, les riches habitent les quartiers riches et les pauvres habitent, avec une grande régularité, avec les presque aussi pauvres, c'est-à-dire les travailleurs à faibles revenus. La *poll tax* faisait donc qu'un habitant d'un quartier pauvre devait payer des taxes de l'ordre de 1 500 $ par année pour habiter une garde-robe, alors que le riche pouvait payer 200 $ pour habiter son château dans le quartier riche. Le principe, ici, est que les petits salariés sont responsables des pauvres qui habitent près d'eux et qu'il ne faut pas déranger les riches avec de telles considérations. Évidemment, dans son outrance même, la *poll tax* était intolérable et fut retirée. Mais le simple fait de son existence soulève bien des questions.

Notons, au passage, que le principe de la *poll tax* se retrouve dans l'attitude des défusionnistes, au Québec. Les villes défusionnistes et défusionnées étaient, symptomatiquement, les plus riches, et refusaient de payer leur part dans le système.

Sommes-nous bien différents des Londoniens ? Quand il y a des élections à Montréal, nous demandons des refuges pour les sans-abri, des logements sociaux et toutes sortes d'autres programmes sociaux. Avant les fusions, nous disions que la responsabilité des sans-abri, qui vivent massivement dans l'espace urbain appelé Montréal, revenait aux gens à revenus moyens et faibles qui vivaient à Montréal, et nous n'allions pas déranger les riches de Westmount avec de tels détails sordides, eux qui n'ont pas de sans-abri. Mais pourquoi les sans-abri qui vivent à Montréal seraient-ils davantage la responsabilité des gens qui vivent dans le même espace municipal ? Une municipalité, dans un tel contexte, devient souvent un abri fiscal où les gens vont se cacher pour ne pas payer leur part.

Au milieu des années 1980, il y avait environ 3 600 habitants à Montréal-Est, pour un budget de 36 millions de dollars, alors qu'il y en avaient plus de 40 000 à Pointe-aux-Trembles, juste à côté, pour un budget d'une quarantaine de millions. Les contribuables de Montréal-Est recevaient des services très sophistiqués de leur municipalité. Les taxes venaient surtout des entreprises (raffineries et voies ferrées), massées dans l'espace baptisé Montréal-Est que rien d'objectif ne distinguait de l'espace voisin appelé Pointe-aux-Trembles. Il fut un temps où les municipalités avaient des responsabilités de toutes sortes et pouvaient opérer des choix, tant sur le plan scolaire que sur celui de la voirie. Il reste bien peu de ces responsabilités ; on peut donc s'interroger sur le sens de ces distinctions.

Ces anecdotes doivent susciter une réflexion sur la distribution de la responsabilité. Qui est responsable de qui et de quoi ?

De quel droit celui qui habite à l'ouest de la rue Marien aurait dix fois plus de services que celui qui habite à l'est, simplement parce qu'on a tracé une ligne fictive qui lui assure un droit sur les taxes d'une série d'entreprises ? Ce mode de répartition, car c'en est bien un, n'a aucun fondement objectif, aucune rationalité économique.

Avec les moyens modernes et l'interdépendance des collectivités, le concept de municipalité comme on le connaît est sans doute dépassé. D'ailleurs, à Montréal, on dit depuis longtemps « une île, une ville », mais si le grand Montréal était bâti en plein champ, où aurions-nous arrêté la fusion et sur quels critères ?

Par exemple, les Montréalais paient, avec leurs taxes, une partie du déficit de la Société de transport de la Communauté urbaine de Montréal (STCUM). Cela veut dire que les gens de Laval ou de la Rive Sud qui viennent à Montréal par le transport en commun voient une partie de leur billet financée par les taxes des Montréalais. Ce n'est pas logique, mais ça fait partie des héritages indiscutés avec lesquels nous vivons.

Prenons l'exemple du 9e rang, à Barraute, en Abitibi. Dans ce rang ne passent que quelques autos par jour, mais il est considéré comme une route nationale, donc entretenu à ce titre par les taxes provinciales, c'est-à-dire celles de tous les Québécois. Comparons maintenant avec la rue Saint-Hubert, à Montréal, où circulent des milliers de véhicules par jour : les Montréalais doivent financer par leurs taxes municipales le déblayage de cette rue, car elle est de responsabilité municipale, tout en participant à déneiger le 9e rang, qui demeure de compétence provinciale. Ces subtiles distinctions ne servent qu'à créer des injustices.

Bref, nous vivons avec une fiscalité municipale moyenâgeuse, issue d'idées et de principes qui n'ont plus cours depuis longtemps. D'ailleurs, dans un sens, les taxes foncières ne tiennent pas compte de la capacité de payer. Prenons l'exemple d'un retraité du quartier montréalais de la Petite Patrie. La spéculation et le « développement » immobilier font grimper la valeur taxable de sa maison sans que celle-ci ait changé et surtout sans que ses moyens financiers aient évolué parallèlement.

2.3. La faillite des mécanismes de répartition

Toutes les structures économiques qui devaient servir à répartir la richesse ont failli à leur tâche. Malgré ce qu'on dit souvent, cette richesse est de moins en moins bien répartie. Apparemment, des décennies de ce qu'on a appelé l'État-providence n'ont pas réglé ce problème. Pendant ce qu'il est convenu d'appeler les Trente glorieuses, les conditions de vie s'étaient améliorées et les écarts entre les riches et les pauvres avaient commencé à s'amenuiser. Depuis, la fin du keynésianisme et le début d'une lutte sans merci des possédants pour éliminer les programmes sociaux ont inversé le processus.

> Cependant, notre monde se caractérise aussi par un niveau incroyablement élevé de privations en tous genres, de misères et d'oppression. Des problèmes inédits viennent s'ajouter aux anciens fléaux, tels que la persistance de la pauvreté, les besoins élémentaires non satisfaits, les famines soudaines ou la malnutrition endémique, la violation des libertés politiques élémentaires, le non-respect des droits des femmes ou de leur rôle, ainsi que la détérioration de notre environnement et les interrogations sur la viabilité à long terme de notre modèle économique et social. (Sen, 2003, p. 11.)

En 2002, 20 % de la population de la planète accaparait plus de 80 % de la richesse. À l'autre bout du spectre, le dernier 20 %, plus d'un milliard d'individus se retrouvaient avec 1 % du revenu. Si nous reprenons les chiffres de 1993 fournis par Michel Chossudovsky, 56 % de la population mondiale se partage 4,9 % du revenu et, pour le total des pays pauvres, 85,2 % de la population obtient 21,5 % du revenu pendant que les autres 14,8 % de riches se partagent, si l'on peut dire, 78,5 % des revenus. En 1998, la situation s'est améliorée, les pauvres ne forment plus que 85 % de la population et ont maintenant 21,7 % du revenu. À ce rythme, on peut espérer qu'en 2100 ils approcheront les 40 % du revenu. Cependant, rien ne garantit que la tendance se maintienne, ni même que c'en soit une.

De fait, si on exclut les différences infimes, les chiffres ne font que s'aggraver depuis des décennies. S'il y avait une aide réelle et une véritable volonté de développement et non d'exploitation des pays du tiers-monde (qui ne sont pas du tout en voie de développement) [5], ces statistiques se seraient améliorées avec le temps.

Il serait donc bien faux de croire que la justice est meilleure qu'elle ne l'a jamais été et que les États doivent reculer pour laisser l'entreprise privée agir à sa guise. La croissance des inégalités est une expression de la nécessité pour l'État d'intervenir encore plus vigoureusement pour répartir plus également la richesse.

5. Sans donner de chiffres ici, il semble clair, ne serait-ce qu'à la lecture du livre de Chossudovsky, que les pays du tiers-monde s'enfoncent de plus en plus dans la misère sous l'effet des actions concertées du Fonds monétaire international (FMI), de la Banque mondiale et de l'Organisation mondiale du commerce (OMC).

Chapitre 3

Travail et technologie

IL EST DEVENU coutumier d'essayer de nous faire peur avec les pensions que supposément nous n'aurons pas. On entend les mêmes menaces de tous les côtés. Le ministre péquiste François Legault avait ouvert le sommet de la jeunesse, en 1999, en ressassant ces lieux communs selon lesquels on avait naguère cinq jeunes qui travaillaient pour assurer la pension d'un retraité alors que bientôt, avec la retraite des *baby-boomers* (causes de tous les maux), on aura cinq retraités pour chaque jeune travailleur.

Ces constatations soulèvent aussi la question de la diminution du travail dans notre société et de ses raisons. L'explication peut sembler évidente : la technologie. Mais elle soulève d'autres sous-questions dont nous devrons tenir compte. Commençons donc par le commencement, c'est-à-dire par déterminer qui sont les producteurs de la richesse.

3.1. Qui produit la richesse ?

La question n'est pas le rapport entre le nombre de jeunes et le nombre de personnes âgées, mais bien la quantité de richesse qui est créée dans la société. Cette richesse est mesurée par le PIB (produit intérieur brut). Le PIB est constitué de la somme des biens et services produits à l'intérieur des frontières d'une économie pendant une période donnée, généralement l'année civile. Pour être pris en compte, ces échanges doivent inclure une contrepartie monétaire. Or le PIB augmente à un rythme qui est au moins égal à celui de la population. En France, le nombre de jeunes et le nombre de travailleurs diminuent proportionnellement, mais le PIB ne cesse d'augmenter : « [...] entre 1975 et 1995, le PIB de la France a augmenté de plus de 70 %, alors que le nombre de chômeurs était multiplié par cinq. » (Robin, 1997, p. 90.)

L'économiste René Passet ajoute :

> Certes, la part des prestations liées au vieillissement et à l'augmentation des pensions est passée de 10,5 % du produit intérieur brut (PIB) en 1981 à 12 % en 1995. Toutefois, si ce dernier continue à s'accroître au rythme annuel – modéré – de 2,1 % constaté cette même année, il aura doublé en 2030. Tout comme le nombre des plus de 60 ans, qui sera passé de 9,3 millions à 18,8 millions. (Passet, 1997, p. 93.)

La situation française ressemble largement à celle que nous connaissons au Québec :

Tab. 3.1 – Évolution du PIB et de la population

Année	PIB (milliards $)	Population
1992	158 000	7 100 000
1998	193 000	7 300 000
Augmentation	22 %	3 %

Source : Adapté de l'Institut de la statistique du Québec, 1999, p. 71-77.

Donc, même si on a moins de gens au travail, pour cause de retraite ou parce qu'il est devenu difficile d'en trouver, la richesse augmente plus vite que la population. Nous étions donc collectivement plus riches en 1998 qu'en 1992. Où est donc passée cette richesse ? On peut comparer les données sur une vingtaine d'années (tableau 3.2).

Le nombre de personnes au travail n'a augmenté que de 22 % en 20 ans, alors que le PIB a presque triplé (après élimination des effets de l'inflation). On peut conclure qu'on produit plus avec moins de travailleurs. La richesse par habitant augmente

TAB. 3.2 – Production et imposition au Québec (milliards $)

	1982	% (2000/1982)	2000
Personnes au travail (millions)	3 069	122	3 753
PIB (milliards $)	85,7	261	223,5
PIB/habitant	13 033	232	30 290
Revenu disponible/habitant	9 359	200	18 744

Source : Adapté de l'Institut de la statistique du Québec, 2001, p. 116-117.

moins vite que le PIB, mais tout de même beaucoup plus que le nombre de personnes au travail ; cela implique une hausse du chômage sans baisse de la production. C'est d'ailleurs ce que remarquent de nombreux économistes depuis déjà au moins une décennie : les reprises économiques ne correspondent plus à des baisses du taux de chômage. Enfin, la croissance du revenu disponible par habitant est moins importante : la richesse disparaît avant d'atteindre les gens. Autrement dit, les bénéfices du développement technologique ne sont pas répartis équitablement. On peut conclure qu'une minorité accumule la richesse, non seulement celle qui provient de la robotisation de la production, mais aussi celle qui découle des activités purement financières et spéculatives maintenant beaucoup plus importantes que celles de l'économie réelle.

Voyons maintenant ce qui est arrivé aux différents types de revenus :

TAB. 3.3 – Évolution des différents types de revenus (milliards $)

	1982	croissance (%)	2000
Salaires totaux	49 973	230	115 072
Sociétés	3 940	596	23 507
Entreprises individuelles	3 868	325	12 575

Source : Adapté de l'Institut de la statistique du Québec, 2001, pages diverses.

On voit bien que ceux qui prétendent qu'il leur faut plus de revenus pour les distribuer à leurs employés, les banques canadiennes par exemple, mentent effrontément. Les salaires constituent la catégorie qui progresse le moins rapidement, alors que les revenus des entreprises et des sociétés augmentent considérablement plus vite. Pendant ce temps, la part des revenus de l'État tirés des revenus d'emploi augmente (les revenus de l'État viennent des travailleurs eux-mêmes, mais aussi des taxes sur la masse salariale dans les entreprises) pendant que celle provenant des bénéfices diminue. La grande campagne de peur et de chantage organisée par l'entreprise au niveau international pour discipliner les États fonctionne donc très bien et les chefs de gouvernements oublient de plus en plus l'entreprise quand vient le temps de prélever les taxes et les impôts.

Le PIB par habitant augmente, rappelons-le, mais le chômage aussi. La production s'accroît donc de manière relative tandis que le nombre de travailleurs diminue. Par conséquent, on peut croire que les machines entrent de plus en plus dans la production.

> Chez (l)es voisins chinois (de la Thaïlande), où le travail à rabais a longtemps repoussé la mise en fonction de machines plus chères, les officiels du gouvernement ont annoncé une restructuration générale des usines, assortie d'une remise à niveau des équipements pour aider la nation la plus populeuse à se doter d'un avantage compétitif dans le marché mondial. Les analystes de l'industrie chinoise prédisent que jusqu'à 30 millions de travailleurs seront mis à pied dans cette vague de restructuration. (Rifkin, 1995, p. 205, notre traduction.)

Il est clair que la machine remplace le travailleur. Mais si elle le remplace dans le processus de production, elle ne saurait le remplacer dans le processus de consommation, qui est la base même du système capitaliste ultralibéral. Certes, les entreprises tentent de composer avec cette contradiction en exportant leurs produits vers d'autres marchés. Mais ce n'est là que remettre à plus tard des conséquences inéluctables.

Une fois acquise l'idée que le facteur humain intervient de moins en moins dans le processus de production de la richesse, nous devons aussi nous intéresser à la façon dont cette richesse est mesurée dans notre système économique et, par ricochet, dans notre système fiscal.

3.2. Le PIB comme mesure de la richesse

Il faut dire que le PIB, qui est utilisé partout pour mesurer la richesse d'un pays, est une mesure largement déformée. Par exemple, imaginons madame Tremblay, qui s'occupe à temps plein de ses cinq enfants dans un logement. À la porte voisine, madame Gladu fait la même chose avec ses cinq enfants. L'économie n'en est pas affectée et aucune richesse reconnue n'est créée. Imaginons que madame Tremblay décide de garder les enfants de madame Gladu, et inversement. À la fin de la semaine, elle se font toutes les deux un paiement, c'est-à-dire un compte à compte. Elles viennent d'entrer toutes les deux dans le merveilleux monde des travailleurs autonomes et des chefs d'entreprise. Le même travail qui ne comptait pas la veille devient générateur de richesse par un coup de baguette économique (c'est-à-dire magique), et se retrouve inscrit dans le PIB. Ce n'est donc pas la nature de l'activité qui en fait ou non une création de richesse, c'est sa rémunération. Nous avons là une des perversions fondamentales de notre système. Ce n'est pas la création de richesse qui est mesurée, mais ce qu'on appelle en statistiques une variable de substitution (un *proxy*), qui est constituée des échanges monétaires.

Qui plus est, ce n'est pas n'importe quelle forme de rémunération qui sera considérée. Si madame Tremblay garde les 10 enfants 3 jours par semaine et que madame Gladu prend en charge 3 autres jours sur une base de troc de services, l'économie officielle n'en est pas perturbée. C'est uniquement lorsqu'elles décident de se payer officiellement, à un montant donné trouvant son équivalent en argent, que l'oscilloscope économique se met à bouger. Tant qu'elles échangent des services, même officiellement, on ne sait pas ce que ça vaut en équivalent monétaire universel (la valeur de leur travail n'est pas facilement transformable en valeur de n'importe quel bien). Or le troc devenant de plus en plus important, entre les entreprises notamment, il y a là tout un pan des échanges économiques qui échappent au PIB et à la fiscalité. Un concessionnaire automobile donne une voiture à son comptable contre quelques vérifications. La voiture passe dans la série des démonstrateurs, comme celle qu'utilise la femme du député local, et le comptable ne déclarera aucun revenu. La transaction se fait en dehors de l'économie répertoriée. Ainsi, la faiblesse du système provient de deux facteurs : son refus de considérer la création de richesse qui n'engage pas de transactions monétaires et son incapacité à englober toute une série de transactions faites autrement (au noir, par exemple).

> « Épousez votre femme de ménage, et vous ferez baisser le PIB... » Derrière cette remarque étrange d'Alfred Sauvy, grand économiste du milieu du XXe siècle, on trouve une des plus grandes insuffisances du PIB : cet agrégat censé représenter la santé de l'économie, voire pour certains le bien-être de la société, exclut tout ce qui est produit hors de la sphère marchande. On peut regrouper les « oublis » du PIB en trois catégories principales :
> – le travail domestique [...]. Selon les méthodes d'évaluation, la production domestique représenterait de 37 % à 77 % du PIB ;
> – le travail bénévole [...] ;
> – les services non marchands [...]. Dans la mesure où les services rendus par les administrations publiques ne sont achetés par personne, ils ne peuvent être évalués comme les autres. (Vaury, 2003, p. 193-194.)

Le PIB est aussi une mesure qui ne fait pas la différence entre la construction et la destruction. C'est d'ailleurs un grand problème environnemental. Plus la dépollution s'érige en secteur industriel rentable, plus il devient important de polluer pour pouvoir dépolluer. On le sait, rien de tel qu'une bonne guerre pour relancer l'économie. Détruisons bien et payons des fortunes pour des engins de destruction, après nous pourrons générer de l'activité économique pour rebâtir ce qui a été démoli et pour réparer aussi les engins de destruction et renouveler l'arsenal. Si nous déduisions les destructions des créations de richesses, nous arriverions à des PIB légèrement différents, souvent déficitaires, qui montreraient clairement le caractère circulaire d'un système économique basé sur le gaspillage, c'est-à-dire sur la destruction perpétuelle de ce qu'il produit pour mieux continuer à faire tourner la roue.

> Le PIB a fait l'objet de très nombreuses critiques depuis plus de 20 ans, et l'on sait qu'il n'est pas un bon indicateur parce qu'il présente comme un enrichissement un certain nombre d'opérations qui sont en fait nuisibles. On connaît bien les exemples des accidents automobiles (qui induisent un accroissement de richesse grâce aux réparations ou aux achats automobiles) ou des destructions de forêts qu'il faut replanter, mais dont la vente constitue, à court terme, un enrichissement, ou plus généralement de toutes les actions de dépollution ou de réparation qui ne font que restituer au capital naturel sa valeur initiale. En poussant la logique à son terme, on pourrait soutenir qu'une société qui se détruit entièrement, qui se consomme et se consume, serait de plus en plus riche, jusqu'à ce qu'elle n'ait plus rien à vendre. (Méda, 1999, p. 57-58.)

Bref, comme on n'a donné aucune valeur à l'environnement initial, la forêt par exemple, sa destruction crée du bois d'œuvre, ce qui constitue dans ce système un ajout de valeur. Mais le fait de la replanter constitue aussi un ajout de valeur : on part de zéro, puisqu'on n'a jamais reconnu la valeur de base de cette forêt. Plus encore, quand on la recoupera, on ne viendra pas faire des ajustements aux PIB passés qui incluaient les coûts pour la replanter. Le PIB est un calcul annuel sur lequel on ne revient pas. Le PIB constitue une sorte d'état des résultats [1] de l'économie, mais il n'y a jamais de bilan. Les économistes ne sont jamais tenus de balancer, ce qui facilite la construction de comptes fantasmatiques.

Le PNB (produit national brut) est une version élargie du PIB. Le PIB reflète les transactions qui sont faites à l'intérieur du pays, alors que le PNB reflète le revenu total des résidents, qu'il soit réalisé à l'intérieur ou à l'extérieur du pays [2]. Il souffre

1. L'état des résultats est un état financier qui s'est appelé dans le passé état des revenus et dépenses ou encore état des profits et pertes. On comprendra que cet état mesure le bénéfice, qui est la différence entre les revenus et les dépenses.

2. Par exemple, lorsqu'un contribuable canadien reçoit un dividende d'une

donc exactement des mêmes limites que le PIB. Quand nous discutons de PIB, nous discutons d'un sous-ensemble du PNB qui en recouvre la plus grande partie.

À la question de la quantité de la richesse, nous devons ajouter celle de sa qualité. L'accumulation de biens matériels ne crée pas nécessairement une société riche. Écoutez les journalistes affairistes répéter sans se poser de questions : « La baisse des impôts va laisser plus d'argent aux ménages qui vont le dépenser et ainsi faire repartir l'économie. » Les ménages vont consommer davantage de vêtements, de télévisions, d'automobiles et d'ordinateurs, ce qui va faire fonctionner les usines, leur donner des emplois pour pouvoir acheter encore plus de vêtements, de télévisions, d'automobiles et d'ordinateurs, etc.

Ironiquement, cette « richesse » nécessite que des gens cultivent le café pour des salaires qui leur assurent à peine de quoi manger, sur des terres qui ne leur appartiennent pas, pour nous permettre de rester éveillés devant nos ordinateurs...

> Qu'est-ce qu'une société riche ? Est-ce simplement une société dont le PIB est très élevé, c'est-à-dire dans laquelle les échanges marchands sont considérablement développés, même si la consommation est extrêmement mal répartie et les écarts de revenus très importants, même si l'accès de tous aux biens premiers n'est pas assuré, même si coexistent dans l'ignorance mutuelle une petite proportion de personnes très riches et de plus en plus de pauvres, même si la violence se répand et que les riches s'enferment dans des ghettos, même si des biens et des services de plus en plus nombreux sont payants et si les conditions quotidiennes de vie (le transport, le cadre de vie, la sécurité physique) deviennent de moins en moins supportables, même si la xénophobie se développe et si la simple idée d'intérêt général fait sourire ? La réponse est bien évidemment non. L'exemple des États-Unis est à cet égard parlant : voici l'un des pays les plus riches du monde, mais où l'on compte 33 millions de pauvres,

compagnie étrangère, ce dividende ne fait pas partie du PIB, mais il fait partie du PNB.

> où la pauvreté et les inégalités ont considérablement augmenté depuis 20 ans. (Méda, 1999, p. 19-20.)

En plus des immigrants illégaux qui vivent dans une situation d'esclavage d'un nouveau genre et des sans-emploi sans ressources, est en train de se créer, aux États-Unis, une strate de travailleurs à faible salaire dont l'état de pauvreté et de dénuement est plus qu'inquiétant. Des multinationales comme Wal-Mart ne paient pas suffisamment leurs employés pour leur permettre de manger et de se loger avec un minimum de décence.

> En 1988, le sénateur de l'Arkansas, Jay Bradford, a attaqué Wal-Mart qui payait si peu ses employés qu'ils étaient obligés de se tourner vers l'aide sociale. Il n'a pu cependant obtenir gain de cause en obtenant la communication du fichier des salaires. (Ehrenreich, 2004, p. 266-267.)

Si le travail mène aux banques alimentaires et aux refuges pour sans-abri, aussi bien y aller directement. Des gens continuent pourtant de travailler, ils cumulent souvent deux emplois, pour ne pas même réussir à survivre de manière autonome. C'est là la merveilleuse société étasunienne qu'on nous propose comme modèle. Ajoutons que l'accès aux soins de santé n'entre évidemment pas dans les catégories du possible pour ces personnes et que l'éducation demeure élémentaire. Plus de 40 millions d'Étasuniens n'ont aucune protection dans le domaine de la santé car, ayant des revenus d'emplois, ils ne sont pas couverts par les mesures publiques. Pourtant, avec ces salaires, ils sont loin de pouvoir payer des assurances privées.

Cette dégradation du tissu social n'est pas comptabilisée, car la valeur de la santé et de l'éducation n'est pas reconnue. Pourtant, ce sont là des actifs sociaux permettant justement le développement économique, du moins il fut un temps où c'était ainsi.

3.3. Les actifs sociaux

Notre société contient aussi toute une série de « biens » intangibles dont la constitution a demandé des efforts considérables et que nous aimons voir comme des acquis importants ; parmi eux, la démocratie, par exemple. Évidemment, les mesures de la richesse sont bien incapables de les prendre en compte, en partie parce que la comptabilité nationale n'arrive pas à être patrimoniale et se contente de constater des flux monétaires.

> La philosophie sous-jacente qui l'inspire (la comptabilité nationale) veut que l'on envisage la santé, l'éducation, la culture, la non-violence, l'égalité des sexes ou l'absence de pollution toujours comme un coût et jamais comme un enrichissement ; et que l'on en revienne immanquablement à l'antienne du libéralisme (père et fils de la philosophie de l'utilité) selon laquelle la vraie richesse est créée par les entreprises (l'économique) et sert à financer le social (c'est la philosophie de la réparation). Les entreprises créent des richesses et celles-ci servent à réparer tantôt le patrimoine naturel, tantôt le patrimoine humain. Toute action d'amélioration de la vie collective (mais aussi, de fait, individuelle) est traduite en termes de coût. (Méda, 1999, p. 61.)

À la philosophie de la réparation il faut donc opposer celle de la construction. Bref, il faut changer nos façons de compter :

> La « valeur »... Savez-vous vraiment ce qu'est la valeur ? Avez-vous réfléchi au poids de ce mot que vous utilisez – moins souvent, il est vrai, vous préférez le mot « richesse ». La France de plus en plus riche, l'entreprise productrice de richesses [...]. Vous croyez-vous sincèrement autorisés à utiliser le mot richesse ? Savez-vous que les déchets, la transformation des forêts en latérite, les bidonvilles qui ceinturent les villes à la place des campagnes, la dépense d'essence dans les embouteillages, la mutation de l'eau en poison, l'agrandissement du trou d'ozone sont de la « richesse » ? Savez-vous – bien sûr vous savez – que la mercantilisation de l'air, de l'eau et des gaz à effet de serre que respirent les hommes est une création de

> « richesse » ? Car il y aura bientôt des marchés de gaz à effet de serre, avec une offre, une demande, des prix, donc de la richesse ! Savez-vous que plus l'eau devient rare, dégueulasse, donc chère, plus les hommes s'« enrichissent » dans votre système ? Que plus le monde est empoisonné, plus il est riche, par simple effet de rareté ? *Ô miracle de l'économie politique libérale qui sut transformer le mal en bien, le déchet en produit, appelant blanc ce qui était noir et richesse ce qui n'était que misère.* (Maris, 1999, p. 137.)

La prédiction est concrétisée et la Bourse de Londres transige des droits de produire des gaz à effet de serre. De même, l'air pur qui se respire gratuitement n'est pas considéré comme une richesse dans nos sociétés, mais celui qui sera vendu en bouteilles, quand l'air ne sera plus respirable, deviendra une marchandise, donc une richesse, augmentant ainsi notre bien-être collectif cumulé. De telles façons de mesurer ne peuvent que produire des catastrophes.

3.3.1. La dégradation de la nature

La nature constitue un actif appartenant à l'ensemble de la société. Pour commercialiser cet actif transformé en marchandise, il faut le rendre rare. D'ailleurs, il y a 50 ans, les manuels d'économie présentaient la valeur comme étant le résultat de la rareté. Ne possède une valeur économique que ce qui est rare. Inversement, ce qui existe en quantités infinies ne vaut rien. On donnait alors comme exemple de ces « biens » sans valeur l'eau et l'air. Or l'eau est maintenant vendue en petites bouteilles à un prix qui dépasse celui de la même quantité de pétrole, pourtant appelé or noir, et ce, même dans le pays où l'eau est statistiquement la plus abondante dans le monde : le Canada.

Dans le prix de cette bouteille, la part de profit est immense, pour ne pas dire plus. On a réussi à faire croire que l'eau du robinet n'était pas potable, provoquant ainsi une croissance exorbitante de la vente d'eau en bouteille. Plus l'eau potable sera considérée comme rare, plus le prix de l'eau pourra augmenter, même au robinet, et plus les compagnies pourront réaliser des profits. Le corollaire de l'affirmation des économistes est maintenant bien intégré dans la pratique capitaliste : si n'a de valeur que ce qui est rare, créons la rareté et nous créerons la valeur. Le fait qu'on crée en même temps la misère et le désespoir n'entre pas en ligne de compte.

Pour créer la rareté de biens comme l'eau ou l'air, on laisse les entreprises dégrader la nature en général afin que toutes les sources non contrôlées de ces « denrées » deviennent inutilisables. Les autres sources doivent être acquises et contrôlées. C'est ce qui arrive en ce moment dans le cas de l'eau. Un organisme international, consortium d'entreprises privées, achète systématiquement des plans d'eau pour usage futur. Au Québec, ce processus est commencé.

Voilà bien pourquoi nous devons nous empresser de déclarer l'eau « bien public » et la nationaliser clairement, qu'elle soit souterraine ou de surface.

3.3.2. Le concept d'actif social

Les dépenses du gouvernement au chapitre de l'éducation, de la santé ou de toute autre rubrique budgétaire, ne sont pas des ponctions prélevées sur les producteurs de richesses pour satisfaire les caprices d'une population trop gâtée, comme on essaie de nous le faire croire.

Comme le reconnaissait déjà Walras et même Say, par la négative, les niveaux d'éducation, de santé et de civilisation (au sens global) font partie des actifs de la nation. Ces actifs doivent être construits, comme les autres :

> En comparant les données par pays, ils observent, comme on peut s'y attendre, une forte corrélation entre le PNB par habitant et l'espérance de vie. Mais ils montrent aussi que ce lien dépend de deux facteurs : l'impact du PNB sur les revenus des plus pauvres et sur la dépense publique, en particulier dans le domaine de la santé. De fait, dès que ces deux variables sont considérées pour elles-mêmes, dans les tableaux statistiques, la contribution *supplémentaire* imputable au PNB par ha-

> bitant se réduit à peu de chose, voire disparaît purement et simplement. (Sen, 2003, p. 66.)

La richesse du pays ne suffit donc pas à expliquer l'état de santé de ses habitants. Par contre, la répartition de la richesse et l'effet du niveau du PNB sur les revenus des plus pauvres, jouent un rôle crucial. L'actif que constitue un bon état de santé de la population se construit de deux façons : par une dépense publique et par une répartition de la richesse.

On admet généralement que le niveau d'instruction sera un facteur clé du développement des pays du tiers-monde. Or ce fait ne s'applique pas seulement aux pays en voie de développement, mais à toutes les sociétés. En Occident, celles qui ont misé sur l'éducation ont enregistré des niveaux de développement très supérieurs à leurs voisines, et ce, même en effectuant les calculs avec les pauvres moyens de nos systèmes de comptabilité nationale. Au Québec, nos statistiques de santé (longévité, taux de mortalité infantile) sont meilleures qu'aux États-Unis et nous dépensons beaucoup moins qu'eux pour les services de santé. Les dépenses de santé ne tombent donc pas dans un gouffre sans fond, prétendument creusé par les parasites de salles d'attente. Elles ont construit un actif qui est l'état de santé général de la population et qui, bien qu'ignoré totalement par la comptabilité nationale actuelle, possède une valeur énorme et sert largement au fonctionnement des éléments qui sont pris en compte par cette comptabilité, car un peuple en mauvaise santé ne peut pas être productif. C'est donc un actif à préserver.

Le niveau d'éducation est aussi un actif social précieux. Par exemple, Emmanuel Todd (2002) montre le lien entre le niveau d'éducation des filles, le nombre de naissances par femme et le taux de développement des différents pays. Dans plusieurs pays, l'éducation permet aux femmes de se libérer de l'esclavage. Chez nous, elle a permis aux femmes de sortir de l'extrême dépendance économique dans laquelle elles se trouvaient.

Pourtant, l'augmentation du niveau général d'instruction a surtout servi aux entreprises. N'oublions pas que l'instruction publique a été généralisée dans le même mouvement que le développement des moyens de production et en fonction des nouveaux besoins d'une industrie qui nécessitait des employés capables, au minimum, de savoir lire, écrire et compter. La moindre machine a un mode d'emploi qui demande de pouvoir s'y référer, à quoi on doit ajouter la multitude des rapports dont la production rythme le temps de travail, ne permettant plus que la classe ouvrière échappe massivement à ces apprentissages de base. Pour qui l'État fut-il donc si providentiel ?

De ce fait, l'expression « État-providence » est à bannir de notre discours. Il réfère non pas à un État qui construit des actifs sociaux mais à un État qui sert d'aide de dernier recours aux « incapables » dans un système qui fonctionne supposément très bien pour les autres. Or cet État a servi à former le personnel dont avaient besoin les industriels. Est-ce parce que, aujourd'hui, l'économie financiarisée prime sur l'économie réelle que les « maîtres du monde » ont décrété la suppression des programmes qui formaient la main-d'œuvre et lui garantissait une santé adéquate ?

> En toute logique, le conservatisme financier devrait remettre en cause l'affectation des ressources publiques à des fins peu compatibles avec un quelconque bénéfice social, telles que les dépenses militaires massives de nombreux pays pauvres (souvent bien plus importantes que leurs dépenses pour l'éducation et la santé). Le conservatisme financier devrait être le cauchemar des militaires, pas celui des maîtresses d'écoles et des infirmières. Et que ces dernières se sentent plus menacées qu'un général de corps d'armée indique assez que notre monde marche sur la tête. (Sen, 2003, p. 194-195.)

L'État n'a pas été providence. Une de ses tâches était de construire une justice sociale, qui est aussi un actif social ayant une valeur importante même pour les capitalistes, qui aiment pourtant en dire tout le mal possible[3]. On prétend même, une

3. Parce que la justice sociale amène une « paix sociale » qui diminue les coûts des entreprises, notamment ceux qui sont reliés à la sécurité, qui augmentent sans cesse. Aussi parce que la justice sociale augmente le niveau de santé générale et, de ce fait, rend les employés plus productifs.

fois revenu aux rémunérations proportionnelles – ce qui permet de les diminuer –, que l'efficacité économique passe précisément par l'injustice sociale. « Les inégalités reflètent un système de rétributions et de pénalités conçu pour encourager l'effort [...] La poursuite de l'efficacité crée nécessairement des inégalités. Et ainsi la société est confrontée à un arbitrage entre égalité et efficacité. » (Okun, cité par Marinescu et Raveaud, 2003, p. 183.)

On peut être séduit, à première vue, par une logique qui veut répartir les ressources en fonction du mérite. Mais ce mérite se mesure-t-il mieux que la richesse produite ? Le système de la succession par la naissance n'a pas disparu avec la fin de la monarchie, il n'a été que masqué par la supposée succession par la valeur officialisée par le succès scolaire, se réalisant, de préférence, dans les meilleures écoles ou celles qui sont reconnues comme telles. Pourtant, non seulement le fait d'hériter de millions est-il un déterminant bien plus grand qu'une supposée valeur intrinsèque : le talent, mais l'accès aux écoles les plus reconnues est largement dépendant des moyens financiers de l'étudiant ou de sa famille. Il ne faut pas confondre un système fondamentalement inégalitaire avec un système qui rémunérerait justement l'effort et créerait ainsi des inégalités dans l'effort, avec pour résultat que chacun travaillerait au maximum de ses capacités, atteignant collectivement le maximum de résultat économique. Cela confine au délire : il faudrait que le système ne rémunère pas prioritairement le capital, que les contrats soient librement consentis, etc.

La justice sociale est certes un bien social important. Cependant, en tant qu'aboutissement des luttes sociales, elle doit aussi faire l'objet de législations et de mise en application gouvernementales :

> La première faiblesse de cette argumentation (rémunération au mérite comme moteur de l'économie) est qu'elle n'est tout simplement pas vérifiée dans les faits. En effet, si l'on rapporte le degré d'inégalité des principaux pays de l'OCDE à leur croissance économique, on constate que de faibles niveaux d'inégalité peuvent tout à fait être associés à une forte croissance du PIB, comme dans le cas des Pays-Bas et du Danemark. Dans ces pays, non seulement

> cette relative égalité n'a pas empêché la croissance mais, réciproquement, la croissance n'a pas mis à mal cette égalité, qui a perduré au cours des années 1990, notamment grâce à une forte diminution du chômage. (Marinescu et Raveaud, 2003, p. 187.)

Cessons donc de regarder les postes budgétaires du gouvernement comme des dépenses à supprimer. Voyons-les plutôt comme des moyens, plus ou moins efficaces, de construire les actifs les plus importants dans notre société, dont les actifs physiques, écoles ou hôpitaux, ne sont que les signes visibles.

> Les normes de comptabilité du secteur public n'étaient pas moins problématiques que celles du secteur privé, mais elles déformaient les réalités dans le sens diamétralement opposé, traitant les dépenses publiques – qu'il s'agisse de routes, d'infrastructures ou de recherche scientifique – comme s'il s'agissait de consommations ordinaires. Si nous empruntions pour financer ces investissements, les comptes de l'État enregistraient la dette mais pas l'actif correspondant. C'était un cadre conçu pour mettre l'État sous pression et inhiber ses investissements à long terme. Et c'est bien ce qui se passait. (Stiglitz, 2003, p. 53.)

La comptabilité qui prendrait en compte ces actifs reste à élaborer. Elle sera différée, comme elle l'est depuis près de deux siècles, par les affirmations de ceux qui ont intérêt à ne pas la voir arriver et qui évoqueront le caractère aléatoire de ses mesures. Notons toutefois que la comptabilité financière, telle que nous la connaissons, se nourrit d'estimations et de règles ridicules. Il suffit de penser au coût historique, qui empêche les états financiers de refléter certaines valeurs, alors qu'elles pourraient servir de base à la prise de décision qu'ils prétendent toutefois informer.

Par exemple, il serait bon à chaque période de se demander si les actifs, dans l'institution sociale qu'est l'entreprise, produisent suffisamment. Or les actifs tangibles sont inscrits à leur coût, qui peut être très ancien et ne pas refléter leur valeur marchande actuelle. Le rendement comparé à ce coût historique devient ainsi dépourvu de sens et impropre à orienter la moindre décision ou l'évaluation de la performance des dirigeants. Quant aux actifs intangibles, de plus en plus courants dans une économie qui repose prétendument sur le savoir, ils ne sont reconnus que s'ils ont fait l'objet d'une transaction. Tous ces actifs générés dans l'entreprise ne sont donc pas reconnus par la comptabilité. Tout cela montre bien que le modèle comptable est fortement lié au modèle de l'entreprise industrielle possédant des usines et des machines, principaux instruments de sa production.

La comptabilité nationale (le calcul du PIB, par exemple) ne prend pas en compte les actifs sociaux, souvent intangibles. Les états financiers du gouvernement ne contiennent pas non plus de bilan dans lequel on verrait les actifs financés par l'État. Cette façon de faire incite grandement à considérer les éléments du budget de l'État comme de simples dépenses.

Si l'on considère vos paiements d'hypothèque sans prendre en compte le fait que vous avez une maison, vous aurez l'air terriblement dépensier ! C'est l'apparence que projette un État qui compte ce qui sort mais jamais ce qui reste. Voilà pourquoi on déplore les dettes laissées par les *boomers* sans considérer l'actif.

3.4. Le fardeau de la société

Avec la domestication de nouvelles sources d'énergie, la révolution industrielle a vu la mise au point de machines de taille imposante qui demandent une main-d'œuvre fort différente de l'artisan qui l'a précédée. Quand l'artisan ne voulait plus travailler pour un patron, il repartait avec ses outils et pouvait travailler ailleurs. Désormais, le travailleur repart les mains vides et devient chômeur. Le chômage est une création de la révolution industrielle, de « l'usine-caserne », comme l'aurait appelée Foucault.

3.4.1. La fin du travail

Or ce travailleur-là est lui aussi en train de disparaître. Il est complètement remplacé par la machine, qui n'a plus besoin de l'aide du travailleur robotisé avant l'heure, comme l'a si bien illustré Chaplin dans *Les Temps modernes*. Cependant, ces nouvelles usines, entièrement robotisées, produisent plus que les anciennes. Le processus de création de richesse est ainsi de moins en moins associé avec le travail. Conséquemment, il faudrait repenser la fiscalité.

La fin du travail pourrait sembler un acquis positif, voire une grande libération de l'anathème jeté sur les successeurs d'Adam et Ève, les condamnant à gagner leur vie à la sueur de leur front. Cette perception serait juste si la disparition du travail s'accompagnait d'un nouveau partage de la richesse et d'une nouvelle façon de concevoir les rapports sociaux. Cependant, le travail demeure au centre des catégories qui façonnent notre société et son absence prend encore des allures de catastrophe ou de perte de valeur sociale. Le chômage est le début de l'exclusion sociale, de l'accession à un monde parallèle qui fonctionne selon des normes différentes.

> Le travail n'est pas ce moyen, existant de toute éternité, dont l'humanité souffrante a hérité à la sortie du Paradis, ce moyen naturel qui nous sert simplement à satisfaire nos besoins tout aussi naturels. Le travail est notre fait social total. Il structure de part en part non seulement notre rapport au monde, mais aussi nos rapports sociaux. (Méda, 1995, p. 26.)

On peut imaginer des sociétés dans lesquelles la valeur fondamentale de l'individu ne soit pas reliée à son travail. Il fut un temps, pas si lointain, où les « gens de qualité » ne travaillaient pas et où la conservation de leur qualité sociale tenait à cette caractéristique. Travailler eût été déchoir de cette qualité. Pour ces gens, la vie était une suite de plaisirs et de réjouissances qui, par leur exigence de présence et d'assiduité pour faire partie de la bonne société, devenaient aussi fastidieux que le travail.

Mais le travail, longtemps l'apanage de l'artisan, change radicalement de sens avec la révolution industrielle. Alors que la capacité de faire des choses était la base du concept de travail, celui-ci devient simplement la façon de se donner, par l'intermédiaire du salaire, la capacité de les acheter. Le travail devient ainsi un mal nécessaire. « L'historien du travail Harry Braveman exprimait l'esprit commercial de notre temps en faisant remarquer que "la source du statut social ne réside plus dans l'habileté à faire des choses, mais simplement dans la capacité de les acheter". » (Braveman, cité par Rifkin, 1995, p.21, notre traduction.)

Au moment même de son déclin, le travail conserve un rôle central dans la société. Il sert, bien sûr, à désigner la place de chacun dans la structure sociale. Plus encore, il est aussi l'exemple fondamental d'un système social bâti sur l'individualisme mais qui, dans un mouvement contradictoire et simultané, propose comme but collectif une augmentation sans fin de la richesse produite : la croissance. Cette richesse produite collectivement se retrouvera dans les goussets de quelques-uns seulement.

Voilà bien pourquoi, au cœur même de son déclin structurel – car le travail ne peut pas résister à la poussée de la robotisation et de l'informatisation qui est loin d'être terminée –, il continue de résister vaillamment aux idéologies de la civilisation des loisirs et d'apparaître comme la seule formule rentable de valorisation sociale. Maintenant que les repères communautaires ont presque tous été détruits et qu'on a vu l'émergence de l'homme consommateur isolé devant son ordinateur, ne parlant plus qu'en balbutiant du clavier à des étrangers habitant à l'autre bout de la planète, le travail, bien que disparu, demeure la façon de célébrer les idéaux de consommation qui sont ceux de nos sociétés modernes ou post-modernes (tous les mots ayant une fin).

> L'effort des individus, la mesure dans laquelle ils augmentent l'ensemble de la richesse et la manière dont se diffuse l'opulence entretiennent des liens logiques. Rien de cela n'est laissé au hasard, l'économie est la science de ces lois. La mécanique sociale est donc toute entière construite autour de cet impératif d'abondance et découle strictement de la manière dont chaque individu participe au grand devoir social. Le travail est évidemment au centre de cette mécanique sociale, il est son instrument de prédilection : il est à la fois l'effort humain qui transforme et l'instrument de mesure qui indique, scientifiquement, combien vaut cet effort, c'est-à-dire contre quelle somme d'argent ou quel autre produit

> il peut être échangé. Il est le rapport social central parce qu'il est le moyen concret par lequel on poursuit l'abondance, parce qu'il est un effort toujours destiné à l'autre et surtout parce qu'il est la mesure générale des échanges et des rapports sociaux. Il détermine le prix de toute chose et garantit l'intangibilité de l'ordre social. Ce dernier est donc déterminé des deux côtés par le travail : par la dynamique des besoins et de l'interdépendance, par la mesure et par la comparaison des efforts. (Méda, 1995, p. 88.)

Le travail devient ainsi un élément ambivalent dans la société. Il sert de justification à la pauvreté. Combien de fois n'avons-nous pas entendu que l'État devrait faire travailler les bénéficiaires de l'aide sociale avant de leur donner quelque chose ? Les tenants de cette façon de voir posent le travail comme le seul critère ouvrant le droit à une participation minimale à la répartition des ressources dans la société. Notons que ce sont souvent les mêmes qui accordent aux sportifs le droit de recevoir des millions pour leur « travail ». Le travail demeure donc une catégorie essentielle et il est intimement lié à la fiscalité

3.4.2. Le travail dans la fiscalité

Notre fiscalité est de plus en plus associée au travail. Le gouvernement libéral continue d'abolir graduellement la taxe sur le capital, qu'il était difficile d'éviter. Il ne reste donc que ce que les patrons appellent les taxes sur la masse salariale, laissant échapper ce qui tend à devenir l'essentiel de la valeur créée. Cette richesse n'est plus taxée que par la taxe de vente, une taxe qui ne tient pas compte de la capacité de payer et qui ne relève pas vraiment de l'entreprise.

En conséquence, les impôts sont de moins en moins payés par les entreprises et de plus en plus par les particuliers. Le tableau 3.4 montre l'évolution des impôts payés par les deux groupes, au Canada.

Ce sont les particuliers qui doivent, de plus en plus, supporter le fardeau fiscal canadien. Or les revenus de capital entre les

TAB. 3.4 – Proportion des impôts payés par les individus et les entreprises

Année	Particuliers (%)	Entreprises (%)
1950	50,8	49,2
1960	57,8	42,2
1970	63,6	36,4
1980	69,4	30,6
1990	79,9	20,1
1993	88,6	11,4

Source : Adapté de Bernard et Lauzon, 1996, p. 47.

mains des particuliers sont de moins en moins taxés. Au cours des années, les déductions pour gain en capital se sont succédé et surtout souvent additionnées pour libérer ces revenus de leur charge fiscale.

> Notez la concentration des gains en capital et dividendes imposés à taux réduits chez les plus riches. Un nombre de 130 000 contribuables québécois se partageaient 1,6 milliard de dollars de gains en capital imposable sur lesquels un montant de 1,25 milliard d'exemptions a été obtenu, ce qui ne laisse que 350 millions imposables. Leur taux réel d'impôt est inférieur à 5 % sur ces gains qui vont aux riches [...] (Bernard et Lauzon, 1996, p. 75.)

Notons, en passant, que les dirigeants des très grandes entreprises sont souvent rémunérés avec des options d'achat d'actions sur lesquelles ils font de très gros profits lors de la revente. Or ces profits qui, au fond, constituent des salaires, sont imposés comme du gain en capital.

Les revenus de biens sont encore taxés au maximum, mais leur incorporation peut aussi changer cet état de fait. Ce sont donc les revenus tirés du travail qui sont de plus en plus taxés. Un des effets de cette situation est que, tandis que le PIB augmente de 22 %, le revenu par habitant augmente de 11 %.

> Les contribuables qui gagnent de 60 000 $ à 90 000 $ payent 1,86 milliard en impôts sur un revenu de 12 709 milliards, soit un taux de 14,6 %. Ceux qui

> ont un revenu allant de 100 000 $ à 199 999 $ paient 760 millions en impôts sur un revenu de 5 062 milliards, soit 15 %. Et ceux qui gagnent 200 000 $ et plus paient 460 millions sur un revenu de 3 039 milliards, soit 15 % également. (Bernard et Lauzon, 1996, p. 74-75.)

L'impôt progressif est de plus en plus régressif, c'est-à-dire qu'il fait de moins en moins la différence entre les hauts et les bas revenus. Quand on parle des impôts payés par les entreprises, il faut aussi considérer les sommes qui leur sont reversées en aide de toute sorte. D'après le Bureau de la Statistique du Québec, en 1998, les entreprises ont payé 2,5 milliards en impôts alors que, l'année précédente, elles avaient reçu 1,1 milliard en aide gouvernementale directe (sans compter l'aide locale et toutes les aides indirectes) qu'il faudrait déduire de leur participation.

3.4.3. Quelques recommandations du professeur Lauzon pour le Canada

Dans ses représentations auprès de la Commission canadienne sur la fiscalité, Léo-Paul Lauzon proposait une série de mesures susceptibles de renflouer les coffres de l'État en faisant payer, pour une fois, ceux qui en ont réellement les moyens.

1. Il y aurait un minimum de 10 milliards à récupérer des paradis fiscaux (à commencer par les sommes détournées par la famille de Paul Martin).
2. On récupérerait 4 milliards par l'abolition de l'exemption du gain en capital pour les particuliers.
3. L'établissement d'un impôt minimum générerait au moins 3 milliards.
4. L'imposition des fiducies familiales pourrait générer 2 milliards supplémentaires.
5. Si on considérait tous les hauts revenus qui sont imposés, en pratique à 18 %, et qu'on portait leur taux d'imposition à 21 %, on ajouterait encore 2 milliards.

6. Un petit ajustement des impôts des sociétés générerait encore 3 milliards.
7. L'imposition des gains en capitaux dans les entreprises : 3 milliards.
8. L'ajustement du plafond du REER donnerait encore 1 milliard.
9. Ajouter une taxe sur les valeurs mobilières, estimée à 10 milliards.

Le total de ces petites transformations générerait 38 milliards dont, en fonction de la population, 8 ou 10 milliards devraient revenir au Québec. Si le gouvernement québécois mettait en œuvre des mesures similaires, puisque les deux fiscalités sont harmonisées, on peut croire qu'il irait lui aussi chercher entre 8 et 10 milliards supplémentaires. Ce ne sont là que des exemples qui servent principalement à montrer que la marge de manœuvre existe, quand on cesse de taxer seulement du côté des pauvres et de prendre dans les budgets de la santé et de l'éducation. Ce total d'une vingtaine de milliards représente le budget de la santé ou deux fois celui de l'éducation. Ce ne sont donc pas des sommes négligeables.

Bien sûr, on nous répondra que de telles mesures feront fuir les cerveaux, les cadres d'élite et les entreprises. Mais la situation des entreprises est loin d'être celle que les commentateurs, relayés malheureusement par des politiciens aussi ignorants qu'intéressés, nous décrivent à satiété.

3.5. Dans la série « Pauvres riches » : les entreprises

L'entreprise est une institution sociale qui a des responsabilités importantes. Malheureusement, elle réussit souvent à éluder ces responsabilités, quand elle ne les ignore pas carrément. L'attitude de la société influence la conception que la firme se fait de sa responsabilité sociale, qui évolue parallèlement à la société en général. Ajoutons que la reconnaissance d'une responsabilité envers une personne ou un groupe implique nécessairement que le mandataire rende des comptes sur la façon dont il s'en est acquitté. Là aussi, en ce moment, nous sommes loin du compte.

3.5.1. La responsabilité sociale de l'entreprise

On entend souvent affirmer que l'entreprise possède une responsabilité envers la société. Cependant, on ne trouve aucun consensus sur la définition et les frontières de cette responsabilité. On peut classer la littérature sur cette question en quatre tendances principales.

1. Aucune responsabilité
   Selon cette vision, il n'y aurait aucun lien structurel entre l'entreprise et la société.
2. La bonne volonté des dirigeants
   Cette deuxième façon de concevoir la responsabilité sociale de l'entreprise repose sur la bonne volonté des dirigeants. Cette vision est partagée par plusieurs auteurs. Parmi eux, Dilley écrit :

   > [...] la responsabilité sociale est la performance (ou l'absence de performance), pour une entreprise privée, de ses activités qui ne mènent pas à un gain économique direct, dans le but d'augmenter le bien-être de la communauté ou d'un des groupes qui la constituent. (Dilley, 1974, p 57, notre traduction.)

   Une telle définition sépare les perspectives économiques et sociales. L'aspect social des activités de l'entreprise dépend alors de la bonne volonté des dirigeants et des actionnaires.
3. Une réponse aux pressions extérieures
   Dans cette perspective, l'entreprise manifeste des gestes sociaux quand les pressions sont suffisantes dans son environnement. Donc, contrairement à la situation précédente où l'on avait un geste positif de la direction et des actionnaires, on a, ici, une réponse inévitable à des pressions.

> La communauté des affaires se verra forcée de prendre en considération sa responsabilité sociale alors que le monde s'inquiète de plus en plus de questions comme la protection de l'environnement, les droits humains, l'énergie, les armes nucléaires et les droits des animaux. (Abdeen, 1991, p. 225, notre traduction.)

Ici, l'action sociale de l'entreprise est motivée par son désir d'éviter une réglementation accrue et des standards plus contraignants concernant les actions à entreprendre et les éléments à divulguer. Ce type d'action est donc entièrement défensif et vise à conserver la légitimité de l'entreprise.

4. Un choix stratégique

   Plutôt que de se contenter de réagir pour éviter des actions négatives du gouvernement, certains proposent une vision qui va davantage de l'avant. Ces auteurs prétendent qu'il y a des opportunités intéressantes pour l'entreprise dans le fait d'assumer sa responsabilité sociale, au moins en partie (Hay, Gray et Gates, 1979).

Cependant, ces quatre visions sont conditionnées par le fait que l'entreprise se voit comme autonome à l'origine, et que ses liens sociaux n'arrivent qu'après. C'est d'ailleurs une des plus grandes critiques que l'on peut adresser à la théorie institutionnelle : elle discute de l'entreprise comme si elle existait *avant* de subir l'influence de la société. L'État fait de même, présentant l'entreprise comme légitime en dehors même de son lien social. Bref, dans les représentations populaires, l'entreprise appartient au domaine économique et celui-ci est séparé du domaine social.

Aussitôt que nous considérons au moins deux individus en relation, les événements humains atteignent un autre niveau de signification, qui est le domaine de la sociologie (Simmel, 1992). Les activités économiques sont donc incluses dans les activités sociales (Simmel, 1992). Cette définition, qui semble aller de soi, est aussi avancée par Touraine (1992) et par d'autres sociologues modernes. Sous ce nouvel éclairage, la distinction implicite dont nous parlions plus haut, qui voulait que le social commence là où l'économique finit, apparaît comme parfaitement triviale. Replacer l'économie au cœur de la société a pour conséquences que les états financiers apparaissent déjà comme un rapport social ; ainsi, les obligations fiscales de l'entreprise quittent le domaine de la contrainte ajoutée pour devenir la raison d'exister de cette entreprise.

Toutes les sociétés doivent s'organiser pour produire et répartir la richesse (Wood, 1990). Le droit de l'entreprise privée d'utiliser les ressources n'est pas un droit naturel, mais une conséquence de l'organisation sociale de la production et de la distribution de la richesse.

3.5.2. L'entreprise est publique

L'entreprise privée, dans nos sociétés, est organisée sous la forme de corporations dont les titres font l'objet de transactions privées ou par l'intermédiaire des différentes Bourses.

> Dans toute société, l'économie est l'institution sociale responsable d'organiser la production et la distribution des biens et services. Aux États-Unis et dans plusieurs autres pays occidentaux, cette fonction économique est assumée prioritairement par l'entreprise privée. (Wood, 1990, p. 12, notre traduction.)

Dans un tel contexte, la société précède l'entreprise ou toute autre forme d'organisation économique. Un corollaire de cela est que l'entreprise reçoit sa légitimité de la société qui a investi à plusieurs niveaux : les infrastructures, l'éducation des travailleurs, les incitatifs fiscaux, etc.

> De telles organisations, qui existent par l'accord général de la communauté, reçoivent des privilèges spéciaux tant légaux qu'opérationnels. Elles se font compétition pour les ressources humaines et matérielles et pour l'énergie et elles utilisent les actifs de la communauté comme les routes et les ports. (Accounting Steering Committee, 1975, p. 25, notre traduction.)

Selon ce point de vue, il y aurait un contrat entre l'entreprise et la société. D'une certaine manière, ce contrat est explicite. Par exemple, les chartes des compagnies sont émises par les gouvernements et pour cette raison, les entreprises ont pendant longtemps été considérées comme des institutions publiques aux États-Unis (Kaufman, Zacharias et Karson, 1995). Mais implicite ou explicite, ce contrat est clairement incomplet, car plusieurs clauses sont encore ouvertes (Hart, 1995).

La société mandate l'entreprise pour jouer un rôle économique, parce qu'il existe une sorte de consensus, dans un certain espace politique, pour dire que l'entreprise privée est la meilleure méthode pour produire et répartir la richesse. Cette logique est reprise par Shocker et Sethi (1974).

> Toute institution sociale – l'entreprise ne fait pas exception – fonctionne dans une société selon un contrat social, explicite ou implicite, sur lequel sa survie et sa croissance sont basées : 1) la création de valeur socialement désirable et 2) la distribution de bénéfices économiques sociaux et politiques aux groupes desquels elle tient son pouvoir. Dans une société dynamique, ni les sources de pouvoir institutionnel, ni les besoins pour ses services ne sont permanents. En conséquence, une institution doit toujours réussir le double test de la légitimité et de la pertinence en démontrant à la société que ses services sont requis et que les groupes bénéficiant de ses retombées sont eux-mêmes légitimes. (Shocker et Sethi, 1974, p. 67, notre traduction.)

En tant qu'institution sociale, l'entreprise privée peut être révoquée en tout temps. Cette révocation, toutefois, comme partie intégrante d'un processus socio-politique, peut prendre un certain temps. Si le système d'entreprise privée n'atteint pas les buts qui lui ont été assignés, il sera remplacé à long terme par une autre institution.

> Implicitement, une des prémisses du système social est la notion selon laquelle la volonté de la société est suprême et que vient un temps où les institutions sociales sont appelées à régler des problèmes sociaux qui dépassent

> l'étroit énoncé de leur mission. [...] Dans l'éventualité ou une institution sociale ne répondrait plus aux besoins de la société, elle serait remplacée, par le même processus qui a présidé à sa création, par une nouvelle institution qui serait mieux en mesure de répondre aux nouveaux besoins de la société. (Typgos, 1977, p. 978, notre traduction.)

La société manifeste sa volonté de deux façons. Premièrement, à travers un consensus tacite, qui ne s'exprime très souvent que sous une forme négative par des mouvements sociaux dénonçant une situation devenue intolérable pour certains. Deuxièmement, l'État, qui parle au nom de la société soit après une approbation claire, soit à la suite de l'inertie collective, peut retirer à l'entreprise sa légitimité par des poursuites ou par le retrait de sa charte. Évidemment, cela ne se produit que dans des cas extrêmes.

Même si des documents existent, le contrat entre l'entreprise et la société demeure largement implicite, basé sur un consensus, comme tous les autres contrats existant dans la société [4].

Ce contrat entre l'entreprise et la société était originellement très peu précisé. Des lois sont faites ou modifiées quotidiennement pour encadrer l'action des entreprises à la suite d'un problème particulier. La situation s'apparente à la théorie des coûts de transactions (Williamson, 1975). Il aurait été impossible de rendre explicite un contrat si large et d'une durée indéterminée. Les précisions viennent donc s'ajouter au cours du contrat et génèrent des avis opposés sur leur pertinence. L'essentiel de la discussion sur la surabondance de la réglementation et les limites supposément trop étroites dans lesquelles les entreprises seraient

4. Un contrat implicite est basé sur des valeurs et des croyances. Il peut avoir une forme écrite dans les limites de la loi ou être inclus dans la loi. Cependant, le contrat supposément implicite existant entre la firme et la société n'est pas comparable à celui qu'on décrit dans plusieurs versions de la théorie des *stakeholders*. La différence tient au fait que ce contrat implicite entre la firme et la société a été largement décrit dans la littérature économique et que l'État a produit des lois pour s'assurer que ce contrat soit rempli jusqu'à un certain point.

confinées vient vraisemblablement du caractère postérieur de ces ajustements.

Contrairement à ce que laissent entendre certaines définitions de la relation entre l'entreprise et la société, nous croyons que la société précède l'entreprise et que cette dernière est une institution sociale dépendant de la volonté populaire.

> Nous devons, en conséquence, abandonner la vision traditionnelle de l'entreprise comme une organisation privée. Nous devons reconnaître le caractère public des entreprises, surtout des plus importantes. [...] Nous devrons aussi reconnaître qu'elles sont devenues des instruments sociaux au même titre que les agences gouvernementales. (Lindholm, 1984, p. 22, notre traduction.)

Ce caractère public peut connaître différents degrés, principalement à cause de ce que Bozeman (1987) appelle sa multidimensionnalité.

> Axiome 1 : le caractère public n'est pas une qualité discrète mais une propriété multidimensionnelle. Une organisation est publique si son existence ou son opération dépend de l'autorité politique. [...]
>
> Axiome 2 : une organisation particulière peut être plus influencée par l'autorité politique dans certaines de ses activités et comportements que dans d'autres et, de ce fait, peut être considérée plus publique dans certaines de ses activités et comportements et moins dans d'autres. [...]
>
> Axiome 3 : si l'on veut juger de l'impact du caractère public sur le comportement de l'entreprise, on peut tenir pour acquis que les contraintes politiques sont équivalentes à l'investissement politique. Il n'est pas nécessaire de distinguer les motifs qui sous-tendent l'influence de l'autorité politique. (Bozeman, 1989, p. 85-86, notre traduction.)

L'entreprise doit rendre compte à la société du mandat général qu'elle a reçu du gouvernement représentant cette société. Cette dépendance excède de loin ce qui est requis par les lois actuelles. Cependant, il serait naïf de croire que le problème serait réglé par les mécanismes du marché, à supposer qu'une telle chose existe. De fait, les mécanismes du marché ont mené à la situation actuelle, où la fabrication d'états financiers sert uniquement à la prise de décision d'investissement.

> La théorie comptable conventionnelle, l'enseignement et la pratique montrent qu'il est généralement admis que, par exemple, le but de la comptabilité financière est d'informer les preneurs de décision dans le but d'augmenter leur richesse personnelle et qu'elle assure ainsi (implicitement et explicitement) l'efficience du marché des capitaux. [...] Nous explorons rarement les raisons qui expliquent qu'un groupe de gens aussi talentueux et privilégiés que les comptables déploient tant d'efforts pour s'assurer que les groupes les plus riches et les plus dotés de pouvoir dans la société deviennent encore plus riches et détiennent encore plus de pouvoir. (Gray, Owen et Adams, 1996, p. 17, notre traduction.)

Le raisonnement est basé sur l'allocation efficiente des ressources effectuée par le marché. Cependant, n'oublions pas que le marché présente plusieurs imperfections qui sont plus que de simples anomalies (Lehman, 1992).

> *Si* tous les agents étaient égaux et *si* les marchés étaient efficients quant à l'information et *si* cela menait à l'allocation la plus efficiente et *si* cela menait, en retour, à la croissance économique et *si* cela assurait le maximum de bien-être dans la société et *si* ce bien-être maximum est le but de la société, *alors* la comptabilité est moralement, économiquement et socialement justifiable et pourrait aspirer à un cadre conceptuel. Évidemment, ce n'est pas le cas. (Gray, Owen et Adams, 1996, p. 17, notre traduction.)

En substance, le libre marché classique a été éliminé... s'il a jamais existé (DeGraaf, 1975 ; Flexner, 1989). La forte primauté, même théorique, du marché est une réalité très américaine. En Europe, où la propriété des entreprises est plus concentrée (le nombre d'actionnaires est moindre et la proportion des actions possédées par les actionnaires contrôlants est plus élevée) – comme en Allemagne ou en France –, les gouvernements jouent un rôle important dans la politique économique et l'encadrement des entreprises.

Plusieurs économistes croient que le mécanisme des prix du marché ne peut pas produire une utilisation optimale des ressources et que des mesures palliatives doivent être prises.

> Le système des prix souffre de sérieuses limitations en remplissant sa fonction. Même Adam Smith n'oserait proposer sans qualifications un mécanisme de marché comme la solution complète au problème de l'allocation des ressources et de la distribution des revenus et peu d'économistes de nos jours soutiendraient que ce qui est déterminé par le marché est nécessairement l'action qui optimise le bien-être de la société. (Strick, 1973, p. 2, notre traduction.)

Donc, comme la société précède l'entreprise [5], il faut corriger les anomalies développées par le marché, ramener quelque justice entre les partenaires sociaux et forcer les entreprises à remplir leur rôle premier, qui est social par nature. Bref, l'entreprise doit répondre du mandat qu'elle a reçu de la société.

L'entreprise doit clairement rendre des comptes à la société et aider les autorités à compenser la mauvaise répartition des richesses qu'elle opère. Malheureusement, l'entreprise prétend qu'elle existe de « droit divin » et qu'elle n'a de comptes à rendre à personne ou, du moins, s'en défend-elle jusqu'à la dernière extrémité. Souvent complices, nos États négligent, dans le meilleur des cas, de remplir leur rôle de contrôle et de vérifier l'efficacité de la firme dans la production et la répartition de la richesse à partir de ressources collectives. Or *toutes* les ressources sont collectives.

3.5.3. Le faible contrôle de l'État

Le Budget 1996 du gouvernement péquiste était déjà très clair sur ces questions.

« Assainir les finances publiques, une condition nécessaire à

5. C'est aussi ce que Carroll (1993) signifiait par « la responsabilité de la firme envers sa société ».

la création d'emplois. » (Ministère des Finances, Budget 1996, p. 7.)

Évidemment, aujourd'hui, les cadeaux faits aux entreprises sont justifiés par la création d'emploi. De fait, la destruction même des emplois est maintenant justifiée par la création d'emplois, contre laquelle il est devenu politiquement incorrect de s'insurger. On détruit donc des emplois de qualité pour créer des emplois précaires et sous-payés et l'on congédie massivement des fonctionnaires, au nom d'une création d'emplois dans l'entreprise qui ne se concrétise jamais. Par exemple, le recours aux partenariats public-privé entraîne une diminution du nombre d'emplois et une déqualification de ceux qui restent.

L'État prétend alors accorder des avantages aux PME dans le but de créer de nouveaux emplois.

« L'État se doit de créer un environnement favorable au développement des PME, parce qu'elles sont les plus grandes créatrices d'emplois. » (Ministère des Finances, Budget 1996, p. 29.)

On disait même, encore plus clairement :

« Pour ce qui est des charges fiscales imposées plus directement aux entreprises, elles viennent diminuer la rentabilité de leurs investissements. » (Ministère des Finances, Budget 1996, p. 7.)

Autrement dit, le ministre des Finances déplore que la répartition de la richesse vienne diminuer le rendement des riches... Mais c'est justement le but de l'opération ! Comment répartir la richesse sans en enlever aux riches ? La proposition principale du Parti québécois à son congrès de 1996 parlait directement « d'assurer la profitabilité des entreprises ». Même Lloyds, la célèbre compagnie d'assurances londonienne, reconnue pour assurer les risques les plus invraisemblables, n'assure pas cela ! Si l'on assure la profitabilité des entreprises, où est le risque, le fameux risque ? Et s'il n'y a pas de risque, comment justifie-t-on le profit ? Soit dit en passant, il n'y a que dans le discours mondain qu'on fasse de telles associations ; dans la théorie économique classique, on parle déjà peu du profit, et rarement pour le justifier par le risque[6].

6. Dans Schumpeter, cependant, on trouve l'association faite directement

3.5.4. Les grandes entreprises paient peu d'impôts

Pour montrer que les profits ne sont pas toujours très taxés, regardons les résultats d'une étude basée sur les chiffres de 1992. La situation ne s'est pas du tout améliorée depuis, et ce, partout dans le monde.

Tab. 3.5 – Impôts payés par 200 (46 %) des 438 plus grandes compagnies canadiennes

Catégorie	Nbre	Bénéfice avant impôts	Impôts payés	Taux
(7 %) impôt négatif	30	200 406 657	(126 095 023)	-63 %
(12 %) aucun impôt	51	281 815 871	0	0 %
(16 %) de 1 % à 10 %	72	2 205 957 915	129 711 024	6 %
(11 %) de 11 % à 20 %	47	3 374 897 392	491 618 362	15 %
Total (46 %)	200	6 063 077 835	495 234 363	8,2 %

Source : Adapté de Bernard et Lauzon, 1996, p. 109.

On voit que d'importants revenus échappent à l'impôt et que l'instauration d'un impôt minimum aurait un effet non négligeable. Et notons que nous n'avons ici que quelques entreprises, et seulement parmi les plus grandes...

En 1999, la situation ne semblait pas avoir changé.

Tab. 3.6 – Entreprises ayant payé moins de 20 % au taux réel

Catégorie	Nbre	Bénéfice avant impôts	Impôts payés	Taux
impôt négatif	13	811 600 000	(80 600 000)	-10 %
aucun impôt	20	969 500 000	0	0 %
de 1 % à 10 %	70	9 557 100 000	472 900 000	5 %
de 11 % à 20 %	55	14 234 700 000	2 224 500 000	16 %
Total	158	25 572 900 000	2 616 800 000	10,2 %

Source : Adapté de Lauzon, 2000, pages diverses.

Sept ans plus tard, le nombre d'entreprise a légèrement diminué, mais l'ampleur des revenus qui sont peu ou pas taxés a augmenté de manière exponentielle.

entre les deux éléments, risque et profit.

3.5.5. Les tendances actuelles

Le Québec se dote de plus en plus d'une fiscalité basée sur les revenus du travail, ce qui fait bien l'affaire du capital. La part du travail diminuant dans la production, les revenus du travail diminuent aussi. Même dans sa façon de taxer les entreprises, l'État se base de plus en plus sur la masse salariale, diminuant progressivement toutes les autres formes de taxation.

Un tel processus nous mène lentement vers l'érosion des revenus de l'État et vers des pressions de plus en plus grandes exercées sur les payeurs de taxes qui restent ou sur les services de l'État pour réduire les impôts. Nous allons aussi vers une plus grande taxation indirecte, taxe de vente et taxes assimilées, qui atteint les mêmes personnes, y compris celles dont la faiblesse du revenu permet d'échapper à l'impôt. En effet, si ceux qui n'ont pas de revenus suffisants ne paient pas d'impôts, ils paient tous la taxe de vente, bien au-delà des remboursements.

Pendant ce temps, les bénéfices de la technologie disparaissent dans les paradis fiscaux.

Les pressions exercées par l'OMC [7] sur tous les gouvernements ont généré un état de compétitivité fiscale féroce. Les entreprises prospectent maintenant les pays les plus pauvres, dans lesquels elles pourraient s'implanter. Comme le transport n'est plus une barrière, elles s'installent là où le gouvernement leur promet les plus grands avantages fiscaux, ce qui ne les empêche pas, quelques années plus tard, de déménager dans une *maquiladora* mexicaine. L'OMC, c'est le chantage institutionnalisé.

Nous verrons en détail plus loin comment les charges fiscales sont réparties dans la société et comment nous glissons lentement vers les modes régressifs de taxation.

7. L'Organisation mondiale du commerce est un organisme privé, né du Traité de Marrakech à partir du General Agreement on Tariff and Trade (GATT), un organisme de l'ONU. L'OMC regroupe la plupart des pays de la planète, bien que plusieurs ne soient jamais représentés dans les discussions dont il est le lieu. Ainsi, une série d'accords sectoriels se discutent tous les jours sous l'égide de l'OMC, qui concerneront des pays africains n'ayant aucunement participé aux discussions (faute de moyens) et qui recevront par télécopieur les mesures qu'ils doivent appliquer.

3.6. La fiscalité comme moyen de façonner la société

Dans notre société, on l'a dit, l'État vient pallier les déficiences du marché comme institution. La fiscalité est utilisée, dans un premier temps, comme moyen de répartir la richesse, mais elle sert aussi à influencer de différentes manières les agents économiques et sociaux.

3.6.1. Les incitatifs économiques

L'impôt est utilisé pour inciter les entreprises à faire certains gestes. Par exemple, si le gouvernement se rend compte que, dans un secteur donné, les actifs sont anciens, il peut décider de consentir un amortissement fiscal accéléré pour inciter les entreprises à renouveler leurs équipements. À ce moment-là, l'amortissement supplémentaire réduit temporairement la charge fiscale et permet aux entreprises de dégager des liquidités supplémentaires pour faire face à l'investissement. Bref, les entreprises financent une partie de ces nouveaux actifs avec l'impôt qu'elles n'ont pas à payer pendant un certain temps.

De la même manière, des mesures fiscales ont le pouvoir de changer les habitudes de production et de consommation. Par exemple, en faisant monter le prix des cigarettes, les taxes sur le tabac peuvent inciter les gens à cesser de fumer. Cependant, elles ont aussi des effets pernicieux, puisqu'elles risquent également de pousser les fumeurs à s'approvisionner en contrebande, ce qui fait perdre des revenus substantiels à l'État sans arriver au but souhaité, tout en facilitant le développement de mafias. L'État libéral se trouve toujours en porte-à-faux entre ses buts sociaux et ses besoins financiers. L'exemple du Grand Prix de Montréal le montre bien.

Le Grand Prix est l'un des rares événements sportifs qui fasse vraiment rentrer de l'argent dans l'économie québécoise et dans les coffres de l'État. Les activités qui rassemblent des Québécois ne font que déplacer des sommes, elles n'en génèrent pas vraiment. Or le Grand Prix attire un nombreux public venant de l'extérieur. Il était commandité par des compagnies de tabac, à qui on a interdit plusieurs formes de publicité, dont le financement des événements sportifs. Les organisateurs avaient été avertis plusieurs années à l'avance de la date à laquelle le règlement s'appliquerait. Ils n'ont rien fait et, quand on a voulu appliquer la règle, ils ont simplement déclaré qu'on devait leur laisser le temps. Le gouvernement a cédé. Entre les besoins financiers et le chantage des groupes impliqués, les principes n'ont pas tenu le coup. Il faut dire que le gouvernement libéral actuel ne se fait pas remarquer par son attachement à des principes...

3.6.2. La fiscalité verte

Certains veulent aussi utiliser la fiscalité pour discipliner les entreprises sur le plan environnemental. Il existe même des cas où l'on veut utiliser ces taxes pour discipliner les individus.

Les compteurs d'eau

En ce moment, au Québec, et plus spécialement à Montréal, on discute beaucoup de la possibilité d'installer des compteurs d'eau dans les résidences privées. Ces compteurs, dans la vision spontanée de plusieurs commentateurs, permettraient de limiter le gaspillage dont la version exemplaire est l'arrosage du fameux « driveway ».

Or toutes les études démontrent que l'installation de compteurs ne change rien dans les habitudes de consommation des individus, parce que la demande domestique est à peu près inélastique. Mais ces résultats, bien que facilement explicables quand on y pense sérieusement, sont si contraires à la logique spontanée des gens et au discours qu'ils aimeraient entendre, qu'il est difficile de rectifier l'opinion publique sur cette question.

De plus, l'installation de compteurs coûte extrêmement cher. Il faut non seulement considérer le coût de l'appareil et les coûts d'installation et d'entretien, mais aussi les coûts administratifs liés à la facturation, au suivi des comptes, aux poursuites, aux débranchements et aux coûts prohibitifs pour les citoyens de fournir en eau les débranchés, que la société, bien sûr, ne peut pas laisser mourir, ne serait-ce que pour des raisons structurelles.

Bien que totalement inefficace, voilà une forme de taxe qui a pour but de changer les comportements. Cela dit les compteurs pourraient être très efficaces pour les entreprises. On possède des informations sur des entreprises qui auraient procédé à des réductions massives (jusqu'à 20 fois moins) de consommation d'eau en changeant d'appareil de réfrigération, par exemple. Donc, dans les secteurs commerciaux, industriels et institutionnels, les gains potentiels sont énormes. La réponse de la ville de Montréal ou du gouvernement du Québec consiste pourtant à cacher la taxe d'eau fixe des commerces et des petites et moyennes industries dans la taxe foncière et de continuer à parler des compteurs domestiques. Les voies de l'État sont vraiment impénétrables...

Les incitatifs pour les entreprises

Les gouvernements peuvent utiliser la taxation pour générer toutes sortes de comportements. Ils forcent la récupération des vieux pneus, en instituant une taxe. L'État peut également, par ses subventions (des impôts à l'envers), favoriser des comportements grandement dommageables pour l'environnement.

> Les fortunes que va dépenser Ottawa dans le projet Hibernia contribueront à favoriser l'accroissement de la consommation de pétrole alors que les gouvernements devront investir encore de l'argent pour respecter les engagements canadiens en matière d'émissions de gaz à effet de serre. (Lefebvre, Guérard et Drapeau, 1995, p. 150.)

La politique énergétique du Québec, basée sur les hydrocarbures au lieu des énergies propres, contribue largement à générer de la pollution, que ce soit ici ou chez nos voisins.

Nous avons dit que le gouvernement a tendance à taxer de plus en plus le travail et que, ce faisant, il incite les entreprises à remplacer la force de travail par d'autres moyens de production non taxés. De la même façon, quand les gouvernements subventionnent le coût de l'énergie ou vendent de l'énergie à rabais aux entreprises (les contrats secrets d'Hydro-Québec), ils encouragent ces dernières à remplacer leurs employés par des sources d'énergie de rechange subventionnées, même si elles sont plus polluantes ou plus chères sur un marché ouvert. Bref, le gouvernement subventionne alors la création de chômage en prétendant servir la création d'emploi.

Au prix actuel de l'essence, malgré les récentes remontées et la quantité de taxes dont il se compose, les gens sont encore peu incités à diminuer leur consommation et à se tourner vers des voitures plus efficaces ou même le transport en commun. Remarquons que cette question est difficile. On attend du public qu'il utilise massivement les transports en commun avant d'en augmenter le nombre et la fréquence. De leur côté, les usagers attendent que les transports soient efficaces avant de se mettre à les utiliser. Dans un tel cas, l'offre devrait se faire avant de mettre en place les incitatifs comme l'installation de nuisances pour la circulation. Il suffit de regarder les publicités pour les voitures qui sévissent en ce moment : la plupart sont axées sur la vitesse et la performance, très peu sur l'économie.

L'idée maîtresse est donc que la fiscalité peut être – et est effectivement – utilisée pour orienter les comportements des agents économiques et sociaux. Cela crée souvent des mesures fiscales compliquées et inefficaces.

Incitation à une moralité conforme

La *Loi de l'impôt sur le revenu* reflète la vision de ce qui est acceptable pour l'ensemble de la société. Par exemple, pendant longtemps, l'image de la famille avec des enfants et l'un des conjoints à la maison était privilégiée. Des mesures fiscales et para-fiscales (les allocations familiales) encourageaient la famille. Pourquoi un État laïc devrait-il encourager la famille au sens traditionnel du terme ? Le lien sexuel consacré par le mariage est devenu la base de la cellule familiale, qui sert de critère pour la reconnaissance du droit à une série de transferts de richesse qui ne sont pas permis autrement. Ces mêmes liens servent aussi de prétexte à des organisations – souvent le gouvernement lui-même – pour s'approprier, par exemple, les droits aux pensions des gens qui n'ont pas de conjoint reconnu. Comme si la valeur d'un bien pouvait dépendre des liens qu'une personne entretient avec une autre... Quelqu'un qui a payé sa pension toute sa vie, soit directement, soit par l'intermédiaire d'une portion de son salaire versée directement par son employeur dans son fonds de pension, n'a pas le droit de la léguer en entier s'il n'a pas de conjoint reconnu. De ce fait, il en lègue alors une bonne partie à l'entreprise. Cela est légal, mais semble peu légitime.

Derrière cet encouragement à la famille, il y a toute une vision de l'organisation « optimale » de la société et de l'ordre social. Il serait peut-être temps de prôner l'autonomie individuelle et le droit de prendre en charge son propre avenir, et ce, peu importe avec qui l'on couche ou avec qui l'on vit.

3.7. Fiscalité et justice sociale

La fiscalité peut revêtir plusieurs formes et servir à orienter les comportements dans une société, ne serait-ce qu'en participant à créer des comportements déviants. Cependant, comme toute mesure produit des comportements déviants, il s'agit de les reconnaître et de les gérer le mieux possible.

Une fiscalité progressiste devrait avoir pour but premier de mieux répartir les richesses, en reconnaissant que le caractère incitatif de la différence de revenus est loin d'avoir été démontré et, de toute façon, elle n'a pas besoin d'atteindre les multiples que nous connaissons dans nos sociétés. Le caractère incitatif des revenus signifie que les gens qui produisent plus et mieux seraient plus rémunérés. C'est une autre façon d'exprimer une des idées de base de l'économie libérale qui, en dernière analyse, ne reconnaît comme motivation que la consommation d'unités supplémentaires. Ensuite, une fiscalité progressiste devrait également avoir pour but d'aider les individus à atteindre la plus grande autonomie possible et non pas d'augmenter leur dépendance. Une telle fiscalité doit aussi être neutre par rapport aux pratiques religieuses. Elle doit être résolument laïque et citoyenne.

Elle peut toutefois être utilisée pour arriver à des fins particulières, comme la protection de l'environnement, mais il semble préférable de recourir pour cela à des interventions directes quand elles sont justifiées. Les incitations fiscales sont habituellement trop subtiles et faites de telle manière que leur efficacité demeure douteuse.

Une fiscalité progressiste serait donc, au premier chef, un instrument de justice sociale, ce qui devait être le but fondamental de l'exercice fiscal avant qu'il soit dévoyé par des gouvernements au service des riches qui préfèrent ne pas partager.

Cette volonté de ne pas partager prétend se baser sur le mérite, qui lui-même est souvent reconnu à la sortie de l'institution scolaire (Bourdieu et Passeron, 1964). Le droit à la richesse s'exprime souvent de manière brutale :

> Nous pouvons nous passer de journalistes, de médecins, de professeurs, de fonctionnaires, de cadres et d'ingénieurs, pas de créateurs d'entreprise. Aussi longtemps que la France misera sur l'économie de marché, elle devra tout faire pour favoriser les candidats à la fortune capitaliste. Et tant mieux s'ils ramassent de gros dividendes. Il faut que l'audace paie. (De Closets, cité par Mattern, 2003, p. 213.)

Sans les hommes d'affaires, les citoyens se laisseraient donc mourir sans réagir. Mais, n'ayant pas tellement de jugeote, ils ont tout de même de la chance que l'homme d'affaires, le développeur, accepte – contre rémunération il va sans dire – de venir les exploiter pour leur permettre de manger. Plus grossièrement dit encore, si c'est possible :

> Par l'imposition progressive sur le revenu, le gouvernement prive ses citoyens dont le succès couronne les efforts de leur rémunération pour la donner à ceux qui ne réussissent pas ; il pénalise ainsi l'industrie, l'économie, la compétence et l'efficacité et subventionne l'oisif, le dépensier, l'incapable et l'inefficient. En dépouillant l'économe, il tarit la source du capital, entrave les investissements et la création de nouveaux emplois, ralentit le progrès industriel [...]. (Commission des principes éco-

nomiques de l'Association nationale des industriels américains, cité par Laguérodie et Raveaud, 2003, p. 143.)

Le problème est que toute cette belle industrie déployée pour fabriquer des produits en masse ne peut trouver son accomplissement que dans la consommation de masse. Dans les périodes de récession économique, on propose souvent de mettre de l'avant des mesures de redistribution pour mieux relancer la consommation et, par le fait même, la production. L'aide sociale fait partie de ces mesures. Il n'y a rien de gratuit. Sans une répartition de la richesse, ceux qui la possèdent devront acheter toute la production et celle-ci redeviendra ce qu'elle était avant la consommation de masse, c'est-à-dire à la fabrication d'une petite quantité de produits de grand luxe pour les quelques acheteurs fortunés qui ont les moyens de se les payer.

Les riches sont ainsi condamnés au partage ; s'ils veulent survivre en tant que riches, ils devraient se le rappeler de temps en temps.

Chapitre 4

La question de la dette

L'OMNIPRÉSENCE du discours sur la dette est un phénomène relativement récent. Il faut d'ailleurs lui reconnaître son caractère international, qui découle d'un économisme débridé et de la montée des organismes comme l'OMC, dont le but avoué est une réduction importante du poids des États dans la balance des décisions. Ainsi, en 2002, le premier ministre de la France, Jean-Pierre Raffarin, faisait une déclaration qui pourrait très bien avoir été faite ici si on en changeait les mots types (comme euros) :

> Je le dis aux Français : il faut aussi lutter contre nos déficits. Il faut lutter contre cette maladie qu'a la France de creuser systématiquement les déficits. Pendant que nous parlons, il y a sans doute un bébé qui est en train de naître dans une clinique quelque part. Sur ses épaules, dès qu'il va commencer à respirer, il y aura déjà 100 000 francs de dette, 15 000 euros. Donc, il y aura là déjà un dispositif d'endettement pour les jeunes qui pénalise après. (Raffarin, cité par Guerrien, 2003, p. 152.)

Notons au passage le caractère grossièrement démagogique de telles affirmations. Évoquer un bébé naissant et lui accoler des chiffres de cet ordre, sans égards au reste de la situation, est fortement tendancieux. Mais ce genre de discours fonctionne. Il trouve écho dans la population et devient une sorte d'étendard qui pousse les citoyens à approuver des décisions qui ne sont pas à leur avantage, bien qu'elles leur soient présentées comme telles. C'est de la manipulation idéologique.

4.1. La dette du tiers-monde

La dette des pays qu'on voudrait en voie de développement fut créée quand on a voulu qu'ils se dotent d'infrastructures modernes ; fort bien. Comme cette dette est étrangère, la pratique des apprentis sorciers de l'aide internationale veut qu'un pays reçoive des devises internationales pour assurer son service de la dette. Comme ces devises viennent de l'exportation, ces pays doivent orienter leur économie vers l'exportation, renonçant à nourrir leurs habitants afin de faire rentrer des devises – qui ressortiront immédiatement pour payer les intérêts.

> L'absence de protection des industries naissantes et toujours nos fameux phénomènes de rendements croissants expliquent *a contrario* la catastrophe des pays du Sud, incapables de faire naître une main-d'œuvre qualifiée, obligés de se spécialiser dans la vente de produits primaires (matières premières ou fruits et légumes) et entrant dans l'engrenage de ce que l'économiste Jadig Baghwati a appelé la « croissance appauvrissante » : plus mon taux de croissance est fort, plus je m'appauvris. Par exemple, supposons que je veuille à tout prix favoriser l'industrie exportatrice de mon pays, pour faire rentrer les devises, afin de développer mon économie exportatrice, etc. En provoquant artificiellement la croissance de ce secteur, qui bénéficie certes d'un avantage stratégique sur la concurrence étrangère (la France métropolitaine ne va pas se battre pour aller fabriquer des bananes en Côte d'Ivoire), je mets les autres secteurs de l'économie en difficulté, en faisant grimper les prix des ressources intérieures pour les autres secteurs. Ainsi le prix de l'essence, celui du pain, du travail flambent-ils, les autres secteurs (l'industrie textile en Inde, l'artisanat du fer en Afrique) se trouvent donc ruinés et me voilà obligé d'importer de la nourriture à bas prix, inférieur au coût de production de l'agriculture locale, vivrière. Les paysans abandonnent leurs champs. Pour nourrir cette population qui afflue dans les bidonvilles, j'emprunte. Les exportations de mon fameux secteur exportateur ne suffisent plus à couvrir les intérêts de la dette, je m'endette encore plus. Ma ma-

> gnifique promotion d'une industrie exportatrice a ruiné le pays. Les surprofits du secteur exportateur cachent la ruine des autres secteurs. Personne ne la voit, car l'économie autarcique n'est pas comptabilisée, tandis que les exportations le sont. Jusqu'au jour où l'industrie exportatrice s'arrête à son tour, faute de pouvoir rembourser ses emprunts. Amusant, non ? (Maris, 2003, p. 168.)

La monnaie locale ne tient alors plus le coup et se trouve dévaluée. Les intérêts à payer sont dès lors relativement plus chers ; le pays est forcé de brader les infrastructures pour lesquelles il s'était endetté, que les entreprises privées internationales s'empressent alors d'acquérir. C'est un cercle extrêmement vicieux qui mène droit à la misère.

Dans le tiers-monde, les fers de lance du capitalisme moderne ayant remplacé les missionnaires sont le Fonds monétaire international (FMI) et la Banque mondiale. Utilisant le refinancement de la dette comme arme principale, ils forcent les gouvernements à vendre à vil prix les quelques services publics dont ils avaient réussi à se doter, au profit de multinationales voraces et insensibles à la misère des citoyens. Prenons l'exemple du Brésil, relaté par Vincente qu'on nous excusera de citer un peu longuement :

> Le « Plan Real » fut lancé en juillet 1994 et reposa sur trois taux : taux d'intérêt, taux de change et taux de taxes sur les importations. La monnaie nationale reçut le nom de *real*.
>
> Le taux de change fut artificiellement valorisé, situant le real au-dessus du dollar. Ceci altéra les résultats de la balance commerciale, jusqu'alors excédentaire. La surévaluation du real par rapport au dollar eut pour conséquence une augmentation des prix des produits brésiliens, à l'intérieur du pays comme à l'étranger. Les secteurs de l'exportation connurent dès lors de graves difficultés, la désindustrialisation et le chômage s'aggravant brutalement dans ces secteurs.
>
> Comme nous l'avons déjà signalé, la politique d'ouverture commerciale se poursuivit sans critère et sans tenir compte du marché intérieur. Les produits importés, quant à eux, devenaient moins chers, ce qui

provoqua une entrée massive de produits d'importation et une paralysie généralisée de l'industrie nationale. Le chômage continuait à augmenter. Pour pouvoir contrôler ses comptes externes, le gouvernement dut travailler avec des taux d'intérêt très élevés, dans la mesure où le déficit accumulé par la balance commerciale pendant la durée du Plan Real dépassa 10 milliards de dollars. Selon le Département intersyndical de statistiques brésilien, en 1998, le taux d'intérêt annuel moyen était de 26,2 % ; il atteint même à certains moments de crise 49 %.

Ces taux d'intérêts élevés servaient à attirer le capital spéculatif externe pour éviter de déstabiliser les réserves techniques du pays. Par ailleurs, leur impact sur la dette interne fut puissant. En 1997, l'État paya 45 milliards de reals d'intérêts sur la dette ; en 1998, 72,5 milliards, en 1999, 95 milliards. En guise de comparaison, le budget total pour la santé publique de l'Union fédérale brésilienne était, en 1999, de 19,5 milliards de reals. À cause du volume croissant des intérêts, la dette interne de l'État passa de 153 milliards de reals en 1994 à près de 500 milliards en 1999. La dette externe augmenta de 75,5 milliards de dollars, entre 1994 et 1999, pour atteindre une valeur globale de 240 milliards.

Parallèlement à l'application des politiques économiques basées sur ces « trois taux » pervers, le gouvernement de Fernando Enrique Cardoso utilisa exactement les mêmes recettes néolibérales que celles qui furent implantées par Margaret Thatcher en Angleterre à partir de 1979. Ceci provoqua une forte pénurie de liquidité sur le marché, en même temps qu'un processus accentué de réduction des émissions monétaires et un coup de frein brutal sur les salaires des fonctionnaires, pratiquement bloqués pendant cinq ans. Cet ensemble de mesures provoqua une forte récession économique. Le gouvernement Cardoso exonéra également le grand capital, libéralisa les flux financiers, privatisa les entreprises publiques et se moqua des droits acquis, augmentant ainsi brutalement le chômage et l'exclusion sociale. (Vicente, 2000, p. 45-47.)

Voilà comment les apprentis sorciers du FMI et de la Banque mondiale massacrent les pays en voie de développement et les renvoient à leur misère. Citons maintenant l'exemple de l'Argentine. Sous la férule du FMI, l'Argentine a dû privilégier les intérêts des grandes entreprises, très souvent étrangères. Comme au Brésil, la monnaie locale s'est retrouvée à parité avec le dollar. Quelques années de ce régime et l'Argentine se rapprochait dangereusement du club des 49 (les pays les moins avancés de la planète).

> L'Argentine témoigne du danger que représentent les banques étrangères. Dans ce pays, avant l'effondrement de 2001, le secteur bancaire intérieur est passé sous la domination de banques appartenant à des étrangers ; or, si les banques étrangères financent sans difficulté les multinationales, et même les grandes entreprises du pays, elles laissent les PME nationales sur leur faim. Le savoir-faire des banques internationales porte sur les prêts à leurs clients traditionnels – et leurs bases d'information aussi. [...] L'absence de croissance – à laquelle l'absence de financement a contribué – a joué un rôle crucial dans l'effondrement du pays. En Argentine, le problème a été largement compris, l'État a pris quelques mesures limitées pour y faire face. Mais les prêts d'État ne pouvaient compenser l'échec du marché.
>
> L'expérience argentine illustre certaines leçons fondamentales. Le FMI et la Banque mondiale n'ont cessé de souligner l'importance de la stabilité bancaire. Il est facile d'avoir des banques saines qui ne perdent pas d'argent en créances irrécouvrables : il suffit de leur imposer d'investir dans les bons du Trésor des États-Unis. Cependant, le problème n'est pas seulement d'avoir des banques saines, mais des banques saines qui financent la croissance. L'Argentine a montré que, si l'on n'y parvient pas, cela peut suffire à créer l'instabilité macroéconomique. À cause de la croissance faible, elle a vu s'accroître ses déficits budgétaires, et, quand le FMI a imposé ses réductions de dépenses et ses augmentations d'impôts, le cercle vicieux de l'effondrement économique et du désordre social s'est déchaîné. (Stiglitz, 2002, p. 103-104.)

La catastrophe éclata en 2001 et le FMI refusa alors tout nouveau crédit malgré sa responsabilité dans les événements. En 2002, deux Argentins sur cinq vivent dans une pauvreté extrême.

Ziegler (2002) fait un bilan bien sombre de l'aide au développement :

> Le bilan de trois décennies d'aide au développement – en réalité d'aide à l'intégration au capitalisme mondialisé des économies africaines, asiatiques, latino-américaines – est calamiteux. [...] Le Niger, d'abord, qui est le deuxième pays le plus pauvre de la planète, après la Sierra Leone. [...] Or, avec une dette extérieure dépassant les 1,6 milliard de dollars, le Niger est surendetté. C'est pourquoi, à Niamey, les pompiers-pyromanes du FMI dictent leur loi. La presque totalité des revenus des exportations du pays sont affectés au service de la dette. (Ziegler, 2002, p. 248-249.)

Bref, les pays développés vident le pays et retrouvent leur argent, puisqu'il revient sous forme d'intérêts. Il suffisait d'y penser : on paye une fois et c'est pour toujours. Loin de servir au développement, ce jeu constitue une catastrophe pour les pays concernés :

> La dette totale du tiers-monde (pays de l'Est non compris) s'élevait à environ 1 950 milliards de dollars en 1997. Le tiers-monde rembourse chaque année plus de 200 milliards de dollars. L'ensemble de toutes les aides publiques au développement (y compris les prêts remboursables à un taux inférieur à celui du marché) ne dépassa pas 45 milliards par an ces dernières années. L'Afrique subsaharienne dépense 4 fois plus pour rembourser sa dette que pour toutes ses dépenses de santé et d'éducation. (Toussaint, 1999, p. 88.)

L'Afrique est ainsi exportatrice nette de capitaux dans les pays de l'Organisation de coopération et de développement économiques (OCDE) ; il faut s'en souvenir quand on ose encore parler d'aide aux pays en voie de développement.

L'exemple de la Jamaïque est particulièrement représentatif des problèmes liés à la dette et des solutions que les représentants du FMI appliquent – des solutions qui constituent en elles-mêmes de plus gros problèmes encore.

Pour sauver la Jamaïque de sa dette de 813 millions de dollars, le FMI a appliqué, de concert avec les États-Unis – car l'un ne va pas sans l'autre – une série de mesures qui justifient l'appellation de « pompier pyromane » que lui attribue Jean Ziegler.

> Le résultat de ces mesures ne devait guère se faire attendre : le revenu réel du pays baissait de 25 %, le taux de chômage atteignait, en 1979, 31 % de la population active, les usines ne tournaient plus qu'au tiers de leur capacité et la dette grimpait à 1,7 milliard de dollars US. Les difficultés exacerbées du pays allaient conduire au pouvoir, lors des élections de 1980, le parti conservateur. Celui-ci, fort du soutien de l'administration Reagan, se proposait, à l'image du Reform Party aujourd'hui, de régler grâce à des politiques d'austérité le problème de la dette.
>
> Dans un tel contexte, la Jamaïque bénéficiera d'une aide financière substantielle de la part des États-Unis. L'administration Reagan, entre 1981 et 1984, apporte à la Jamaïque une aide globale de 495 millions de dollars (soit le double de l'aide versée au cours des 24 années précédentes). En 1986, l'aide américaine s'évalue aux alentours de 700 millions de dollars. Cette sollicitude ne va pas bien sûr sans contrepartie. Elle coïncide avec un alignement politique sur les positions internationales des États-Unis et avec un alignement économique plus marqué encore sur les principes de stabilisation prônés par le FMI. En 1984, la situation continuait pourtant de se dégrader ; on intensifia donc encore l'effort de « rationalisation » : réduction de 30 % de l'investissement public, licenciement dans la fonction publique, réduction du budget de l'État par la restructuration des programmes sociaux, suppression du contrôle des prix. Là encore, le résultat ne se faisait pas attendre : entre 1983 et 1985, le revenu réel du pays baissait de 48 %. (Martin et Savidan, 1994, p. 46-47.)

Les interventions de ce type se multiplient partout dans le monde. Quand les pays se montrent bons élèves, comme l'Argentine, on leur accorde les crédits qui servent à les faire descendre d'un cran dans l'échelle de l'horreur pour, alors, leur en refuser d'autres. Ajoutons que, dans plusieurs pays, les sommes obtenues sont en grande partie détournées sur les comptes personnels, en Suisse par exemple, des principaux dirigeants du régime, sous l'œil bienveillant des instances internationales. Une fois revenues en Suisse, ces sommes pourront servir une nouvelle fois aux banquiers pour prêter aux pays dans le besoin, possiblement les mêmes. Dans ces pays, les citoyens ne voient pas beaucoup la couleur des capitaux, mais ils restent pris avec les intérêts. Or ces derniers, compte tenu d'une nécessaire dévaluation de la monnaie nationale, sont encore multipliés par cinq ou par dix.

« Selon Jerry Mander, McNamara a tué plus d'êtres humains à la tête de la Banque mondiale que lorsqu'il était, en tant que ministre de la Défense des États-Unis, préposé aux massacres du Vietnam. » (Ziegler, 2002, p. 205-206.)

Car, bien sûr, tout le système est complice de ces fabricants de dettes qu'on vient renflouer en les forçant à démanteler leurs États.

> Pour piller leur pays et créer à l'extérieur de leurs frontières des *holdings* financières qui géreront leurs affaires personnelles, les kleptocrates ont nécessairement recours aux experts des grandes banques et des sociétés financières transcontinentales. Ces sociétés financières, fiduciaires ou bancaires ont elles-mêmes besoin des capitaux pillés ; elles y prélèveront de juteuses commissions qu'elles utiliseront pour financer leurs propres affaires internationales (boursières, immobilières, de crédit, etc.). (Ziegler, 2002, p. 155.)

Le président Marcos, bon exemple de despote-pilleur, était à temps plein conseillé sur la façon de sortir l'argent du pays et de l'investir par le représentant d'un consortium de banques helvétiques.

Il faudrait aussi se demander d'où vient tout cet argent que les mieux nantis prêtent si aimablement aux pauvres pays qui en ont besoin. On se rendrait compte que souvent, ces fortunes de plus en plus immenses viennent souvent de l'exploitation éhontée de ces mêmes pays dont les richesses ont été et sont encore pillées sans vergogne. L'abolition pure et simple de la dette du tiers-monde ne serait peut-être pas l'acte odieux d'expropriation qu'on aime à nous présenter, mais une simple et minimale mesure de réparation pour les dommages causés par des profiteurs soutenus par les armées.

Cette spirale de la dette qui tient à genoux l'Afrique et, en général, les pays en voie de développement, a aussi des effets chez nous. Le discours actuel sur l'élimination de la dette est directement tributaire de l'utilisation qu'on en fait au tiers-monde. La dette du tiers-monde sert d'épouvantail pour l'Occidental moyen, à qui elle est présentée comme le résultat de comportements douteux.

4.2. Éliminer la dette

C'est dans cette foulée que la dette est devenue une préoccupation des pays occidentaux. Si les États doivent diminuer leur taille, ils doivent réduire les dépenses et aussi vendre à rabais les services publics aux mêmes multinationales. Quel meilleur argument pour ce faire qu'un discours populiste sur la menace que constitue la dette et sur la nécessité de la rembourser ? Ce discours se cantonne résolument du côté des émotions, dont la peur est la plus importante. On voit presque des huissiers internationaux venir saisir les maisons des citoyens pour rembourser une dette qu'on nous morcelle en montant d'argent par individu. Par contre, on doit chercher longtemps pour trouver une caractérisation honnête de la dette et de ceux qui la possèdent. Or, décrite ainsi, elle ferait peut-être moins peur...

La dette publique, dans son apparente parenté avec les dettes des individus, est dès lors perçue comme le résultat d'un dérèglement coupable des gouvernements auquel il faut mettre un terme immédiat. Le fondement de la dette n'est pas encore analysé, et on ne fait pas de différence entre les types de dettes : financement du déficit d'opérations ou construction d'immobilisations.

« La dette est le symptôme immédiat du désordre d'un monde devenu étranger, que nous craignons et que nous devons pourtant affronter. » (Martin et Savidan, 1994, p. 24.)

Évitant toute description réelle du phénomène, on sombre rapidement dans des représentations simplifiées qui, sous couvert de rendre plus sensible au commun des mortels la triste réalité, dénaturent totalement la question.

« [. . .] pour se mettre à la portée du petit peuple. Ainsi, on ne nous dira pas qu'un milliard est un milliard, mais que cela équivaut à un dollar par seconde pendant trente-deux ans. » (Martin et Savidan, 1994, p. 33.)

Il y a déjà un certain temps que le Québec, entre autres, soutient une politique du déficit zéro, qui n'a pourtant pas empêché la dette d'augmenter. En conséquence, pouvons-nous croire qu'en intensifiant ce genre de mesures, la situation se renversera ? Il est à remarquer que ceux qui conduisent l'État au bord du gouffre sont toujours les premiers à accuser les passagers silencieux quand la situation devient difficile.

4.3. Les chiffres de la dette

La dette est un autre instrument de démagogie qu'utilisent les représentants du pouvoir économique québécois pour nous faire accepter la fatalité de la réduction des services publics, car, pour eux, ce sont ces services qui ont creusé le trou de la dette. Alors, évidemment, on nous sort les gros chiffres : 109 milliards. Cependant, le montant de la dette réellement remboursable est de 70 milliards, le reste étant constitué des montants non versés par le gouvernement dans ses différents régimes de retraite.

Ce montant total contient aussi d'autres petites surprises. Dans la dernière année, la dette totale est passée de 105 172 à 108 602 millions. Dans cette augmentation de 3 430 millions, 1 801 millions proviennent des « placements, prêts et avances » dont voici la description :

> Les résultats préliminaires montrent que les besoins de financement à l'égard des placements, prêts et avances sont

de 1 801 millions de dollars. Ils résultent notamment des profits de certaines sociétés d'État, qui ont été comptabilisés dans les revenus du gouvernement mais qui n'ont pas encore été versés sous forme de dividendes. Ces dividendes non versés représentent donc un investissement additionnel que le gouvernement effectue dans ses sociétés d'État. Les besoins de financement à l'égard des placements, prêts et avances découlent également des mises de fonds du gouvernement dans ses entreprises. (Finances Québec, 2003, 2(18).)

Tab. 4.1 – Composition de la dette du Québec au 31 mars 2003

Éléments	En millions $
Fonds consolidé du revenu	64 752
Organismes consolidés	5 424
Total partiel	70 176
Passif au titre des régimes de retraite	38 426
Dette totale	108 602

Source : Finances Québec, 2003, 2(17).

Les revenus non encaissés sont ajoutés à la dette et aux placements. Il est intéressant de regarder combien de ces sommes, qui sont en fait le contraire d'une dette, se sont accumulées dans cette dernière jusqu'à ce jour. Il semblerait qu'il y en ait pour près de 7 milliards (sur 114). Ainsi, plus Hydro-Québec, par exemple, fait des profits, plus la dette augmente.

La chose peut sembler complexe, mais elle est pourtant simple. La comptabilité de l'État ne s'effectue pas toujours de la même façon que celle des individus ou des entreprises. Par exemple, une entreprise a acheté 30 % du capital d'une autre entreprise qui fait 1 million de dollars de profit. Même si l'entreprise acquise ne distribue que 500 000 $ en dividendes (donc 150 000 $ à notre entreprise), l'entreprise qui a acquis 30 % des actions comptabilisera dans ses revenus l'ensemble des sommes auxquelles elle a droit, c'est-à-dire 300 000 $. C'est donc dire qu'une partie du revenu indiqué dans les états financiers des entreprises peut ne pas être encaissée, 150 000 $ dans ce cas-ci.

Mais l'État ne veut pas enregistrer de revenus non encaissés à ce chapitre. Donc, comme la moitié débitrice de l'écriture a été faite pour augmenter la valeur de ses placements – ce que les journalistes appellent de nouveaux investissements dans les sociétés d'État – l'État inclut l'autre moitié dans la dette. Mais, en réalité, il ne s'agit pas d'une dette, mais bien d'un revenu futur.

Les derniers 38 milliards de dollars sont une somme que le gouvernement doit notamment aux régimes de retraite de ses employés. Cette dette est en fait constituée des pensions futures qui devront être versées à mesure qu'elles viendront à échéance, puisque les fonds n'ont pas été déposés d'avance. Il faut cependant ajouter que les pensions actuellement dues sont payées au fur et à mesure. Dès lors, même si nous la réclamions aujourd'hui, cette somme ne pourrait pas être livrée d'un seul coup. Il reste donc 70 milliards de dollars de dette qui pourraient être payés demain, moins les 7 milliards qui ne sont pas des dettes mais des revenus différés. En réalité, il reste donc 63 milliards de dollars. Ce montant demeure un chiffre considérable, mais tout de même beaucoup moins élevé que les 109 milliards de départ. Ce n'est pas tout : nous devons maintenant nous demander à qui nous devons cet argent.

Cette dette est largement possédée par des Canadiens et probablement en grande majorité par des Québécois. Selon les devises, la dette se compose ainsi (pourcentages calculés en dollars canadiens) :

Dollars canadiens	80,1 %
Dollars américains	4,1 %
Yens	12,2 %
Francs suisses	3,6 %

En conséquence, les cotes de crédit de New York (Solomon Brothers ou Standard and Poor) n'affectent potentiellement qu'une infime partie de notre crédit. Qui plus est, quand le gouvernement paie les intérêts sur la dette détenue par des Québécois, il en récupère une partie en impôts. Au-delà des chiffres énormes avec lesquels on nous effraie, la dette du Québec n'est pas vraiment le monstre aux multiples tentacules qui empêche le gouvernement de fonctionner et qui étouffe le développement national.

En plus de la dette de 109 milliards, le gouvernement a aussi financé par anticipation près de 4 milliards de dollars. Autrement dit, en négociant un emprunt, il a décidé d'ajouter 3 945 milliards de dollars au cas où il en aurait besoin. Cela génère évidemment des paiements d'intérêts inutiles, surtout pour un gouvernement qui prétendait maintenir le déficit zéro.

Normalement, les emprunts ne doivent pas servir à couvrir les dépenses d'opération, appelées aussi dépenses courantes. Ces dernières incluent le service de la dette au complet, c'est-à-dire le remboursement du capital en plus des intérêts. Les actifs ne sont pas amortis, puisqu'ils ne sont même pas comptabilisés comme tels. Dans une entreprise privée, le remboursement du capital de la dette n'est pas considéré comme une dépense. La diminution de valeur de l'actif (un immeuble, par exemple) est quant à elle transférée dans les dépenses sous le vocable d'amortissement. Comme la dette n'est pas nécessairement synchronisée avec la durée de vie utile d'un actif, l'amortissement de ce dernier (son usure) ne correspond pas au remboursement de la dette.

Dans le secteur public, il en va tout autrement. Les emprunts sont censés être synchronisés avec la vie utile de l'actif et imputés aux utilisateurs de façon à ne pas créer de transferts intergénérationnels. Si une ville construit un aréna d'une durée de vie de 50 ans, elle fera un règlement d'emprunt sur cette même période. Ainsi, ceux qui paieront pendant ces 50 ans seront les citoyens qui sont là pour en profiter. Si la ville économisait l'argent avant de commencer la construction, elle ferait payer aux citoyens d'aujourd'hui un bien qui sera utilisé par les citoyens de demain [1]. Dans cette logique, le montant des emprunts devrait correspondre à peu près au montant des investissements, dans la mesure où on ne finance pas de dépenses à court terme (l'épicerie) avec des emprunts.

1. Il faut remarquer que, en tant que société, nous pourrions décider de changer cela. Une génération serait alors sacrifiée (encore une), mais par la suite les choses se compenseraient d'elles-mêmes.

Le tableau 4.2 montre une différence significative entre le niveau des emprunts et celui des investissements au Québec.

TAB. 4.2 – Emprunts à long terme et investissements pour 2002-2003 (millions $)

Institution	Emprunts	Investissements
Gouvernement	8 897	2 052
Institutions d'enseignement	2 012	800
Établissements de santé et de services sociaux	1 127	841
Hydro-Québec	1 923	1 976
Autres entreprises du gouvernement	192	970
Municipalités et organismes municipaux	2 880	2 330
Emprunts bruts	17 031	
Remboursements	11 275	
Total partiel	5 756	
Emprunts effectués par anticipation	2 791	
Emprunts net	2 965	8 969

Source : Finances Québec, 2003, 2(21) et 2(23).

Au bout du compte, on investit donc généralement plus qu'on emprunte. Ces chiffres sont toutefois trompeurs, parce qu'ils couvrent les remboursements sans que nous connaissions la part de refinancement et la part de remboursement réel. Par exemple, quand une émission d'obligation arrive à échéance, on peut, au lieu de la rembourser, la refinancer en tout ou en partie, ce qui ne constitue pas une diminution de la dette mais seulement un transfert. Cela dit, transfert ou pas, l'investissement est de loin supérieur à l'emprunt, ce qui démontre que ces emprunts ne servent pas aux dépenses courantes ou, comme on aime le dire, à payer l'épicerie. Au contraire, on semble investir avec de l'argent courant, ce qui consiste à faire payer aujourd'hui des avantages qui seront tangibles demain.

Si l'on considère le « monstre » dans son ensemble, la dette totale du secteur public, au Québec, s'élève à 175 milliards, répartis comme suit :

La question est maintenant de savoir si nous avons 175 milliards d'actifs en opération incluant ceux d'Hydro-Québec. L'évaluation est difficile à faire. Notons cependant que dans les ac-

TAB. 4.3 – Dette à long terme du secteur public québécois (millions $)

Organismes	2002	2003
Dette totale du gouvernement	105 172	108 602
Réseaux de l'éducation, de la santé et des services sociaux	9 588	11 008
Hydro-Québec	37 893	35 639
Autres entreprises du gouvernement	3 906	3 894
Municipalités et organismes municipaux	16 777	16 530
Total	173 336	175 673

Source : Finances Québec, 2003, 2(26).

tifs nous devons compter les réseaux routiers, les réseaux ferroviaires (quoique ceux-ci soient loin d'être impressionnants et qu'ils fassent partie généralement de notre portion de la dette fédérale, qui n'est pas incluse ici), les institutions hospitalières, d'enseignement, etc.

Il est de bon ton de prétendre que les *baby-boomers* sont partis avec la caisse en ne laissant que la dette. Toutefois, il faut bien se rendre compte que, à la mort de Maurice Duplessis, le Québec était complètement dépourvu de tous les instruments nécessaires à son développement. En outre, les maigres infrastructures nécessaires à son exploitation par les autres avaient coûté une fortune, soit celle qui a été donnée à tous les amis du régime ainsi qu'à la caisse électorale du Parti.

Par exemple, sur le plan de l'éducation, le Québec était dans un état déplorable en 1960. L'instruction publique était encore sous la gouverne du ministère de l'Agriculture, parce que c'était le seul ministère qui couvrait l'ensemble du territoire. Les enfants étaient éduqués dans des écoles de rang dirigées par des institutrices sous-payées, et parfois avec plusieurs mois de retard.

« Ainsi en 1953, plus de 5 500 institutrices gagnent moins de 1 000 $ par année, tandis qu'un nombre équivalent gagnent entre 1 000 et 1 500 $ à une époque où le salaire annuel moyen d'un employé de bureau est de 1 600 $. » (Linteau, Durocher, Robert et Ricard, 1986, p. 318.)

En quelques années, tout ce système sera bouleversé. Les

effectifs de l'enseignement secondaire vont presque tripler en 10 ans, passant de 205 000 en 1960-1961 à 592 000 en 1970-1971, pour une croissance démographique d'un peu plus de 20 %. Une telle croissance a créé des bouleversements structurels importants et demandé la mise sur pied d'un réseau d'écoles secondaires comme nous n'en avions jamais vu. Ce mouvement s'est accompagné d'une ouverture à l'éducation supérieure, car il fallait de nouveaux débouchés pour ces diplômés du secondaire. Ce fut la création des cégeps, dont on peut discuter la pertinence, mais qui n'en demeurent pas moins un acquis considérable.

C'est durant cette période que le Québec s'est doté, comme État, des instruments de son développement. Avant 1960, l'État québécois possédait la Société des alcools (appelée alors Commission des liqueurs) et Hydro-Québec, fondée en 1944, dont la taille demeurera de peu d'importance jusqu'à la nationalisation, en 1962, des principaux producteurs privés d'électricité. En 10 ans, le Québec a mis sur pieds plus d'une dizaine d'instruments essentiels à son développement (voir tableau 4.4).

Tab. 4.4 – Développement du Québec à partir de 1960

Société générale de financement (SGF)	1962
Sidérurgie du Québec (SIDBEC)	1964
Société québécoise d'exploration minière (Soquem)	1965
Caisse de dépôt et placement du Québec	1965
Société d'habitation du Québec (SHQ)	1967
Société d'exploitation des loteries et courses (Loto-Québec)	1969
Société de récupération, d'exploitation et de développement forestiers (REXFOR)	1969
Société québécoise d'initiatives pétrolières (SOQUIP)	1969
Société d'énergie de la Baie James (SEBJ)	1971
Société de développement de la Baie James (SDBJ)	1971
Société de développement industriel (SDI)	1971

Linteau, Durocher, Robert, et Ricard, 1986, p. 434.

L'arrivée sur la scène publique des *baby-boomers*, qui correspond approximativement à la deuxième moitié des années 1960, a constitué une période de construction effrénée pour le Québec moderne. Une dette a alors été générée et a régulièrement augmenté depuis. C'est toutefois dans la décennie 1990 que la croissance de la dette a été la plus rapide en chiffres absolus et en pourcentage du PIB, alors que la construction du Québec moderne était achevée et que commençaient les compressions budgétaires et l'obsession de l'élimination du déficit, alimentées par l'idéologie ultralibérale qui balayait alors le G7.

Il devient difficile d'en arriver à la conclusion que les médias voudraient nous voir avaler :

1. La dette du Québec le place dans une situation intolérable (ça reste à voir) ;
2. Ce sont les privilèges des *boomers* qui sont responsables de la dette (la démonstration est loin d'être concluante) ; et
3. Ce sont les programmes sociaux et l'État dit providence qui sont responsables du reste.

Comme nous l'avons dit, toutes les dépenses du gouvernement peuvent être accusées de créer le déficit et de générer la dette. Il faudrait aussi ajouter à la liste tous les revenus auxquels le gouvernement renonce par ses mesures fiscales ou par son défaut de percevoir les impôts dus par les grandes entreprises. N'allons donc pas trop vite pour pointer du doigt tel ou tel responsable, la question est complexe. Par exemple, si l'on considère que, bon an mal an, l'aide aux entreprises dépassait le milliard de dollars depuis 1995 et qu'elle dépasse maintenant les 2 milliards, on peut prétendre expliquer l'augmentation de la dette. Surtout si l'on considère que les taux théoriques d'impôt sur les bénéfices de ces entreprises demeurent plus que raisonnables (entre 5,7 et 16 %).

Chapitre 5

L'évasion fiscale

« C'qu'on sait pas,
ça nous fait pas mal. »
Sagesse populaire

L'ÉVASION fiscale se pratique à tous les niveaux de la société. Évidemment, celle que pratiquent les moins nantis est bien connue (c'est le travail au noir) et fait même l'objet de campagnes de publicité de la part de nos gouvernements. À ce propos, on oublie toujours la moitié de l'histoire : celui qui accepte, qui est content ou qui exige même de payer en dessous de la table pour les services qu'il reçoit.

Bien qu'important, ce secteur est loin derrière celui du détournement de sommes vers les paradis fiscaux. De plus, le travail au noir fait circuler des sommes qui finiront par être dépensées dans l'économie nationale, alors que les transferts de capitaux vers les paradis fiscaux saignent l'économie nationale, jusqu'à la laisser exsangue dans certains pays du tiers-monde.

Des pays entiers, dont certains ne sont pas que de minuscules points sur la carte, se sont fabriqué une richesse sur le dos des citoyens des autres pays. Jamais nous n'avons entendu de chefs d'État parler de faire la guerre à ces pays, ni même d'exercer contre eux des pressions sérieuses. Au contraire, ceux qui les contrôlent ont eux-mêmes caché des sommes importantes obtenues à la suite d'opérations douteuses. Bref, si ce banditisme international peut continuer, c'est parce qu'on le lui permet en fermant les yeux. Bien sûr, les gouvernements du G7 ont signé et ratifié des conventions contre le blanchiment d'argent. Mais les chefs d'État ne parlent que de blanchiment pour fins de « terrorisme », alors que le gros des sommes aboutissant dans les paradis fiscaux y sont virées à des fins d'évasion fiscale.

5.1. La version simple : le prix de cession interne

Comme nous le savons, plus de 60 % des transactions impliquant des biens se font chaque jour à l'intérieur des groupes transnationaux. Ces groupes possèdent souvent des dizaines, voire des centaines de filiales, dont certaines ne sont que des écrans juridiques pour permettre aux transactions de transiter par un paradis fiscal.

Prenons l'exemple d'une compagnie qui produit de l'aluminium au Canada. Comme elle se situe dans le secteur de la transformation, elle fabrique un produit à forte valeur ajoutée. Elle pourrait donc faire beaucoup de profits, d'autant plus que, si elle ne produit pas sa propre électricité, on la lui offre à un prix dérisoire. Pour empêcher le malheur de devoir déclarer des revenus imposables, cette compagnie utilisera le prix de cession interne, c'est-à-dire le prix auquel elle paie sa matière première et ses services provenant d'autres filiales incorporées ailleurs.

La mine de bauxite appartient au groupe (ensemble d'entreprises liées). Elle se situe vraisemblablement en Guyane. Le minerai est acheté à bas prix de la filiale productrice par une compagnie factice dont le siège social est voisin de celui de la compagnie maritime de Paul Martin, aux Bahamas ou aux Bermudes, selon les ententes. Cette compagnie revend ce même minerai à prix fort à une autre filiale, s'assurant de cette façon de garder les profits dans le paradis fiscal, et ainsi de suite à travers un filtre d'entreprises pour remonter jusqu'à la dernière, au Canada, qui ne fait plus de profits, puisqu'elle paie sa matière première trop cher. Elle peut même être admissible à des subventions. Cette même compagnie paye aussi pour le transport de sa bauxite. La compagnie maritime est une autre filiale du groupe, incorporée pour sa part aux îles Caïmans. Elle paie plus cher pour ce transport que les entreprises qui font affaire avec des compagnies hors du groupe. Bref, tout est organisé pour transférer les profits dans des paradis fiscaux.

Il existe des théories qui décrivent les meilleures façons de fixer un prix de cession interne, mais les études montrent que, en pratique, les considérations fiscales viennent bien avant la motivation des gestionnaires et l'évaluation des divisions. Cependant, l'évasion fiscale demeure en tête, et c'est bien compréhensible quand on pense qu'il y a des centaines de millions de dollars impliqués. Ainsi, la seule compagnie Tyco, qui n'est pourtant pas parmi les plus importantes au monde, a économisé en un an 400 millions de dollars américains en impôts en déménageant son siège social aux Bermudes (Godefroy et Lascoumes, 2004).

Pour envoyer les profits aux bons endroits, les moyens sont multiples et dépassent les prix de cession interne :

> [Les entreprises] le font en minorant artificiellement les recettes et en majorant frauduleusement les dépenses de leurs sociétés établies dans les pays à impôt élevé : achats à prix majorés de marchandises, rémunérations de brevets, versements de redevances excessifs ou sans contrepartie, attribution d'honoraires sans proportion avec le service rendu et vente à prix minorés. Les paradis fiscaux jouent un rôle essentiel pour permettre ces opérations. (Attac, 2000, p. 17.)

5.2. Les paradis fiscaux

Les paradis fiscaux sont des États complaisants qui acceptent de cacher l'argent volé. Ils prennent aussi l'argent des dictateurs [1], les fonds nationaux détournés, enfin, n'importe quoi, sans poser de questions. La Suisse a longtemps été le chef de file dans ce

1. Notons que certains dictateurs, comme le sinistre Pinochet, ont eu la maladresse de cacher leurs millions ensanglantés dans des banques étasuniennes.

domaine. Il faisait bon voir les citoyens afficher en surface une moralité stricte, voire calviniste, fondée sur une richesse extorquée aux citoyens du monde – surtout à ceux du tiers-monde – et conservée dans les profondeurs des chambres fortes.

Il est évidemment très difficile de savoir combien d'argent est ainsi détourné. En France, on évalue le montant de la fraude fiscale à 250 milliards de francs (Attac, 2000). Pour faire dans la démagogie, cela représente à peu près le montant de la dette tangible du Québec et approximativement le budget total du Québec. Comme on le voit, ces sommes ne sont pas négligeables.

Ces espaces protégés servent à plusieurs fins, mais ils développent de plus en plus de formes de criminalité. Par exemple, les flottes de bateaux sont enregistrées sous des pavillons de complaisance, ce qui enlève toute responsabilité réelle aux pollueurs des côtes et aux autres chauffards maritimes (non seulement les pétroliers sont-ils construits d'une manière irresponsable, mais le capitaine de l'*Exxon Valdes* était en état d'ébriété, a-t-on dit, lorsqu'il a enregistré le premier « *hit and swim* » de l'histoire).

> Le cas des flottes marchandes met en lumière une fonction intéressante des espaces « offshore » : servir de relais, dans des conditions de sécurité minimales, à l'exploitation incontrôlée de la main-d'œuvre. C'est la première forme historique de la délocalisation massive d'une activité industrielle vers le tiers-monde, entamée, comme par hasard, il y a un demi-siècle par les multinationales du pétrole. Et c'est encore le pétrole qui nous rappelle de temps à autre, en venant s'échouer sur nos côtes, une évolution à laquelle on semble se résigner trop aisément tant que les victimes sont ailleurs. De la criminalité économique aux désastres écologiques et à la criminalité tout court, allant jusqu'à la participation à des crimes contre l'humanité, l'examen de ces « fonctions diverses » (il y en a d'autres...) montre jusqu'où peut mener la tolérance vis-à-vis de ces espaces sans lois. (Attac, 2000, p. 27.)

Ces pavillons de complaisance cachent souvent des activités rendues tellement confuses qu'il devient très difficile de s'y retrouver, ce qui est le but de l'exercice.

> En vingt ans, l'*Erika* a eu sept noms et cinq pavillons différents. Au moment de l'accident, il est la propriété d'une coquille vide enregistrée à Malte dissimulant deux armateurs napolitains agissant à travers une société grecque. Il est affrété par une société helvético-panaméenne qui passe ses ordres depuis Lugano et la marchandise appartenait à Total *via* sa filiale des Bermudes. (Godefroy et Lascoumes, 2004, p. 37.)

Évidemment, les autres pays regardent ces activités avec complaisance. Par exemple, dans la plupart des pays de l'OCDE, les règles fiscales permettent de déduire les pots-de-vin versés à l'étranger, ce qui est bien pratique et permet au citoyen moyen, par l'intermédiaire de ses impôts, de participer malgré lui à l'exploitation des citoyens du tiers-monde par des dictateurs corrompus. Quand ils ne peuvent décemment le faire ouvertement, les pays développés trouvent des moyens détournés :

> Les États-Unis sont membres de l'OCDE. Ils se prononcent régulièrement en faveur de tout instrument national et international susceptible de combattre le cancer de la corruption. Le *Federal Corrupt Practice Act* fait d'ailleurs de la corruption d'un fonctionnaire ou d'un agent d'une autorité étrangère un délit fédéral. Mais en même temps, l'empire cherche à promouvoir ses exportations. Comment résoudre la contradiction ? Le gouvernement de Washington a trouvé l'astuce : il autorise désormais les sociétés transcontinentales de l'industrie, du commerce, de la banque à inscrire aux îles Vierges, un paradis fiscal sous administration américaine, des *foreign sales corporation (*sociétés étrangères de vente). Celles-ci tiennent la comptabilité des exportations de certaines des principales sociétés transcontinentales dont le quartier général se trouve à New York, Boston ou Chicago. Et ce sont ces *foreign sales corporations* qui versent les pots-de-vin à leurs partenaires étrangers. [...]
>
> Les Européens ne se conduisent pas beaucoup mieux. Nombre de sociétés transcontinentales d'origine française, allemande, britannique, italienne ou espagnole créent aux Bahamas, à Curaçao ou à Jersey des sociétés

> *offshore* ou des succursales prétendument « indépendantes » afin de contourner les dispositions de la convention de l'OCDE que leurs gouvernements ont pourtant signées. (Ziegler, 2002, p. 165.)

C'est donc de la complicité pure et simple de la part des gouvernements. Comment pourrait-il en être autrement ? Un de ces gouvernements complaisants dirige le Royaume-Uni :

> L'OCDE a identifié 35 paradis fiscaux, dont la moitié sont des colonies sous juridiction britannique. C'est pour vous dire que la Grande-Bretagne est au premier chef coupable, avec les États-Unis qui les tolèrent et les protègent. [...] Ces paradis fiscaux constituent chacun de petites entités ridicules de moins de 100 000 habitants, n'ont pas d'ententes fiscales avec les pays industrialisés et la confidentialité absolue y est assurée. Le secret bancaire intégral est de rigueur dans ces îles paradisiaques et toutes les grandes banques canadiennes y sont fortement représentées. (Lauzon, 2004, p. 128)

C'est clair : les paradis fiscaux sont des moyens sophistiqués pour pratiquer le vol à grande échelle. Cela se passe d'ailleurs sous le regard complaisant des autorités, entre autres parce que les dirigeants utilisent en grande partie les mêmes moyens pour faire disparaître les pots-de-vin qu'ils touchent, notamment pour leur complaisance envers ces pratiques. Comme on le voit, il s'agit d'un cercle vicieux.

5.3. Le blanchiment de capitaux

Les sommes détournées ou qui proviennent d'activités illicites doivent pouvoir revenir dans les pays développés sans garder de traces de leurs multiples origines :

> Analyser le blanchiment de l'argent, c'est analyser comment l'argent de la fraude fiscale, l'argent de la corruption, l'argent tiré des actes criminels, des vols, des rackets,

> des extorsions de fonds, des escroqueries, des délits d'initiés, des ventes illégales d'armes, des contrebandes, des trafics de stupéfiants, des réseaux de prostitution va pouvoir apparaître au grand jour sans que son origine criminelle puisse être identifiée. (Attac, 2000, p. 23-24.)

Ces sommes sont autant d'impôts que les citoyens ordinaires doivent payer à leurs États pour faire fonctionner la machine. Pourtant, ces activités de blanchiment se font souvent par des organismes officiels comme les banques, et ce, sous le regard bienveillant des autorités. Au Canada, la vérificatrice générale, dans son dernier rapport, dénonce l'inefficacité de l'agence fédérale mandatée pour dépister le blanchiment – le Centre d'analyse des opérations et déclarations financières du Canada – et le manque de collaboration obtenue de la GRC. Depuis l'adoption de la *Loi sur le recyclage des produits de la criminalité*, bien peu de plaintes ont été portées devant les tribunaux.

Les sommes potentielles à blanchir sont énormes. Outre les produits de l'évasion fiscale, la Banque mondiale estime les résultats des transactions de corruption à plus de 80 milliards de dollars américains (Ziegler, 2002, p. 151). Si on prend seulement le cas de Marcos, il semblerait que les sommes ainsi détournées se situeraient entre 1 et 1,5 milliard de dollars (Ziegler, 2002, p. 157). Les moyens mis en œuvre sont importants, ce qui laisse deviner l'ampleur des bénéfices :

> Puis dans un autre article de la Presse canadienne publié dans *Le Journal de Montréal* en mars 1997, « Un million de “sociétés écran” dans le monde », on pouvait lire que « plus d'un million de sociétés anonymes servent de sociétés écran pour blanchir de l'argent de la drogue, financer les activités de groupes terroristes et couvrir les fraudes fiscales et douanières », au dire même de Jack Blum, un expert fiscal international américain qui sert de conseiller à l'administration américaine. (Lauzon, 2004, p. 129.)

Le blanchiment de capitaux est complémentaire au détournement et comme ce dernier, il se fait avec la complicité de tout le système. Il faut donc arrêter les deux aspects de cette activité et sévir sérieusement contre les institutions, notamment les banques canadiennes, qui se livrent sans vergogne à ces activités et qui, d'ailleurs, ont plus de filiales dans les Antilles que les banques étasuniennes.

Chapitre 6

Transactions internationales et taxe Tobin

CHAQUE JOUR, s'effectuent des transactions qui impliquent des agents économiques de plusieurs pays. Intuitivement, on croit que les transactions de biens ou d'investissement forment l'armature de ces échanges. Détrompons-nous : la plus grande part de ces transactions constituent de pures spéculations, principalement sur les devises.

C'est pour freiner cette spéculation sur les taux de change – enclenchée à la suite de l'abandon de l'étalon-or par le gouvernement étasunien à l'époque du président Nixon – que l'économiste James Tobin, Prix Nobel et conseiller du président des États-Unis, avait proposé une taxe sur les transactions financières internationales. Seulement deux pays dits développés, la France et la Belgique, ont légiféré en ce sens, mais leurs lois n'entreront en vigueur dans l'Union européenne (UE) que lorsque les autres membres auront fait de même.

L'ampleur de ces transactions serait de 1 587 milliards de dollars par jour en 1998. Assujetties à une taxe de 0,1 %, ces transactions rapporteraient 228 milliards de dollars par année (Cassen, 1999). Pour se donner un ordre de grandeur, il faut aussi dire que les échanges internationaux de biens et de services représentent 6 000 milliards de dollars par année (équivalant en gros à une semaine de spéculation). Par exemple :

> Au cours du seul mois de janvier 1999, au moment de

> la dévaluation du real brésilien, les « innocents acteurs » des banques implantées au Brésil ont réalisé, en toute légalité, entre 4 et 8 fois plus de bénéfices que pendant tout l'exercice 1998. (Cassen, 1999.)

D'autres, plus modestes, estiment que le revenu d'une telle taxe pourrait avoisiner les 100 milliards de dollars par année. On constate donc que les estimations varient mais que l'idée demeure. Notons qu'avec seulement cette dernière somme, on remplirait les Objectifs du Millénaire pour la provision d'eau potable, dont l'absence est la première cause de mortalité dans le monde.

La Banque des règlements internationaux (BRI) estime que la durée de 80 % des transferts de fonds internationaux est inférieure à 7 jours et même inférieure à 2 jours pour la moitié d'entre eux. (Langlois, 1999.)

Ces transactions sont largement centralisées. On considère que la plus grande partie d'entre elles passe par Londres. Voici qu'après avoir fait ressortir l'implication du Royaume-Uni dans la grande majorité des paradis fiscaux, on le retrouve maintenant au cœur des opérations de spéculation qui gangrènent la finance internationale.

Selon certains spécialistes, ces transactions de spéculation prennent une place exorbitante sur les marchés :

> Seule une fraction infime des opérations, estimée à 3 % par les observateurs les plus sévères et à 8 % par les plus indulgents, a pour but de solder des transactions commerciales internationales ou de servir de véhicule pour des transferts de capitaux destinés à des investissements productifs. En 1995, le montant total du commerce mondial de marchandises et de services a correspondu au montant de seulement trois jours et demi de transactions sur les marchés des changes. [...] Même si l'estimation du montant des transactions « nécessaires » est étendue pour inclure les positions prises par les exportateurs pour se prémunir des risques de change, elle n'aboutit pas à plus de 20 % du total. (Chesnais, 1998, p. 53-54.)

Ces transactions sont qualifiées de spéculation dans la mesure où elles ont une durée de moins d'une semaine, souvent de quelques heures seulement. Elles sont visiblement pensées dans le but de profiter de situations particulières, sans ajouter une quelconque valeur dans la société.

6.1. Le fonctionnement du système

La spéculation peut être comparée aux chaînes de lettres ou aux systèmes de ventes pyramidales que nous connaissons. Il s'agit de prendre une partie de la valeur de plusieurs centaines, voire plusieurs milliers ou millions de personnes, pour la concentrer dans les goussets de quelques-uns.

Si je vends massivement des devises d'une catégorie donnée (des dollars canadiens) à cause du système dévoyé dont nous parlions plus haut, je crée une offre susceptible de faire baisser la valeur comparée de cette monnaie. Ce sont alors tous les Canadiens qui vont payer, parce que la valeur de leur monnaie vient soudain de diminuer. Chaque fois que nous achèterons un bien d'importation, il coûtera plus cher et, de la même façon, quand notre gouvernement voudra payer les intérêts à l'étranger, il lui faudra donner plus de dollars canadiens pour couvrir la valeur en monnaie étrangère.

Ces opérations n'ont toutefois créé aucune valeur ; elles n'ont fait que la transférer des poches de certains vers celles d'autres personnes. Sans créer de valeur, on vide les poches des citoyens de certains pays ciblés par les attaques de ces vautours et, surtout, sans que ces pays puissent riposter. En fait, ils le pourraient. Pour ce faire, il leur faudrait sortir leur monnaie du système de compensation international, mais cela entraînerait d'autres problèmes non négligeables.

En laissant ce système fonctionner, on encourage automatiquement une forme de banditisme pratiqué par les très riches au détriment des populations en général.

6.2. Le fonctionnement de la taxe

Si elle était adoptée, la taxe Tobin sur les transactions financières internationales s'appliquerait sur chaque transaction. On se souvient que la spéculation est définie par la multiplication des transactions ; autrement dit, les sommes d'argent circulent rapidement et changent souvent de dénomination monétaire. Par opposition, les opérations réelles d'investissement se caractérisent par des durées supérieures. La durée d'une semaine, bien que courte, sert de longueur charnière.

Une taxe d'un taux très faible sur chaque transaction – on parle généralement de 0,1 % – s'additionnerait alors à mesure que le nombre de transactions augmenterait. Ainsi, si la même somme se promène 100 fois pendant l'année, elle viendrait d'être amputée de manière intéressante (100 fois 0,1 %). On croit donc que même à un taux si faible, cette taxe serait suffisante pour diminuer radicalement la quantité de transactions de spéculation qui se fait quotidiennement dans le monde.

6.3. Les avantages

Le premier avantage serait d'amener des fonds dans les coffres des États qui sont les premières victimes des attaques des spéculateurs.

Si les résultats de l'implantation d'une telle taxe allaient dans le sens espéré, la fluctuation des taux de change diminuerait, ce qui permettrait aux gouvernements d'édicter des politiques monétaires plus stables et plus rationnelles. Ce serait un deuxième avantage.

La fluctuation des taux de change diminuant, la politique de taux d'intérêt pourrait tenir compte d'autres impératifs, comme le taux de chômage. Souvent, les économistes recommandent aux gouvernements d'accepter un peu plus de chômage pour soutenir la valeur de la monnaie. Dans cette perspective, la spéculation crée du chômage.

Il faut aussi mentionner que l'ancien régime des taux de change fixes avait l'avantage de ne pas permettre la spéculation ; c'est sans doute l'une des raisons de sa disparition, d'ailleurs. L'apparition de la monnaie commune en Europe (l'euro) a exactement le même effet. Le taux de change théorique, entre les anciennes monnaies et la nouvelle, est fixé et chaque pays utilise la nouvelle monnaie. Ainsi, il ne peut plus y avoir de spéculation entre les pays de la zone euro.

6.4. Les problèmes potentiels

Le plus grand désavantage de cette taxe, dit-on souvent, est qu'elle ne pourrait réellement être mise en place qu'avec un accord simultané de tous les pays occidentaux, c'est-à-dire tous les pays ayant des places financières d'une certaine importance. Comme la plus grande partie des transactions en question passe par Londres, il faudrait que le Royaume-Uni soit d'accord au premier chef. Par contre, bon nombre de fiscalistes sont d'avis que la taxe sur les transactions financières serait utile et relativement efficace pour des ensembles de pays, comme l'UE, sans qu'il soit nécessaire de l'adopter à l'échelle mondiale. Mais pour l'instant, la volonté politique semble manquer.

Ceux qui s'opposent à la taxe Tobin objectent que si de grands ensembles étatiques la mettaient en place, on pourrait alors s'attendre à ce que des places financières s'ouvrent dans des pays comme les Bermudes ou les Bahamas afin que ces transactions puissent continuer à s'effectuer, et rien ne serait gagné.

Par ailleurs, les États percevant cette taxe pourraient boycotter et sanctionner les pays qui refuseraient de collaborer. Par exemple, la taxe Tobin pourrait être incluse dans les conventions fiscales. Son application demanderait donc à la fois un changement majeur dans les mentalités ainsi qu'une volonté réelle des gouvernements de mettre fin à l'exploitation des masses par quelques-uns. Évidemment, ces conditions sont assez difficiles à réaliser.

Il faut aussi dire qu'une telle taxe n'est pas une panacée et ne règlerait pas tous les problèmes économiques internationaux.

Disons cependant qu'elle pourrait constituer un jalon important sur la voie de l'assainissement des pratiques financières internationales, sans parler de l'effet bénéfique, au plan de l'éducation populaire, de la campagne pour l'application de cette taxe.

Chapitre 7

Les revenus de transfert

LES PREMIERS REVENUS dont nous traiterons sont ceux du gouvernement fédéral qui proviennent de nos poches, comme tous les revenus des gouvernements. Mais justement, les gouvernements puisent toujours dans les poches des mêmes personnes, puisque les impôts de tous les niveaux de gouvernement viennent des mêmes contribuables. De ce fait, ils devraient répartir leurs revenus en fonction des responsabilités qui leur sont dévolues par la Constitution.

Malheureusement, d'autres considérations interviennent et font que le gouvernement fédéral prélève une part plus grande que nécessaire, étouffant ainsi les provinces qui n'arrivent pas à obtenir suffisamment de revenus. Cette situation a été discutée dans les médias sous le vocable de « déséquilibre fiscal ». En deux mots, c'est dire que le fédéral taxe plus que nécessaire pour remplir ses obligations et ne laisse pas assez d'espace fiscal aux provinces pour qu'elles honorent les leurs, notamment dans les domaines de la santé et de l'éducation.

7.1. Le déséquilibre fiscal

Évidemment, pour un souverainiste, la question du déséquilibre fiscal est temporaire, sa solution finale étant le rapatriement de toute la fiscalité à l'intérieur de ce qui serait les frontières du Québec. Cependant, d'ici là, certaines actions peuvent être entreprises.

Parler de déséquilibre fiscal implique que l'équilibre puisse exister. Or l'équilibre serait une répartition de la taxation effective qui soit en accord avec les besoins et les responsabilités de chaque palier de gouvernement. Pour cela, il faut avoir une vision relativement claire des responsabilités de chacun. Cette image a été volontairement rendue floue au cours de l'histoire du Canada. Le gouvernement fédéral s'est lentement immiscé dans les champs de compétence provinciale en se prévalant de son prétendu pouvoir de dépenser.

7.1.1. Les pouvoirs de chaque gouvernement

D'après la Constitution, le gouvernement fédéral possède le pouvoir d'opérer « le prélèvement de deniers par tous modes ou systèmes de taxation ». Par ailleurs, le gouvernement provincial possède « la taxation directe dans les limites de la province, dans le but de prélever un revenu pour des objets provinciaux ».

Le pouvoir de taxer du fédéral est plus large et imprécis que celui des provinces. Il couvre tous les modes de taxation et les fins auxquelles il peut être utilisé ne sont pas précisées, alors qu'il est mentionné de façon explicite que la taxation provinciale doit servir aux objets provinciaux. Sur cette base, on pourrait contester la constitutionnalité d'une taxe provinciale qui serait utilisée pour un but qui serait clairement fédéral (constituer une armée, par exemple).

L'article 91 de la *Loi constitutionnelle* stipule :

> Il sera loisible à la Reine, de l'avis et du consentement du Sénat et de la Chambre des Communes, de faire des lois pour la paix, l'ordre et le bon gouvernement du Canada, relativement à toutes les matières ne tombant pas dans les catégories de sujets par la présente loi exclusivement assignés aux législatures des provinces ; mais, pour plus de garantie, sans toutefois restreindre la généralité des termes ci-haut employés dans le présent article [...] (*Loi constitutionnelle de 1867*, article 91.)

Plusieurs commentateurs autorisés de la Constitution canadienne ont soutenu publiquement que l'argument du bon gouvernement permet au fédéral de s'immiscer partout. Or l'article 91 dit clairement que le bon gouvernement s'applique aux matières qui ne sont pas expressément décrites comme tombant sous la compétence des provinces. On ne saurait donc remettre en question la compétence d'une province sur un de ces champs avec l'argument du bon gouvernement. Ces compétences provinciales sont listées à l'article 92 et méritent d'être citées en entier.

« Dans chaque province, la législature pourra exclusivement faire des lois relatives aux matières tombant dans les catégories de sujets ci-dessous énumérées, savoir :

1. Abrogé ;
2. La taxation directe dans les limites de la province, dans le but de prélever un revenu pour des objets provinciaux ;
3. Les emprunts de deniers sur le seul crédit de la province ;
4. La création et la tenure des charges provinciales, et la nomination et le paiement des officiers provinciaux ;
5. L'administration et la vente des terres publiques appartenant à la province, et des bois et forêts qui s'y trouvent ;
6. L'établissement, l'entretien et l'administration des prisons publiques et des maisons de réforme dans la province ;
7. L'établissement, l'entretien et l'administration des hôpitaux, asiles, institutions et hospices de charité dans la province, autres que les hôpitaux de marine ;
8. Les institutions municipales dans la province ;
9. Les licences de boutiques, de cabarets, d'auberges, d'encanteurs et autres licences dans le but de prélever un revenu pour des objets provinciaux, locaux ou municipaux ;
10. Les travaux et entreprises d'une nature locale, autres que ceux énumérés dans les catégories suivantes :

    (a) Lignes de bateaux à vapeur ou autres bâtiments, chemins de fer, canaux, télégraphes et autres travaux et entreprises reliant la province à une autre ou à d'autres provinces, ou s'étendant au-delà des limites de la province ;

(b) Lignes de bateaux à vapeur entre la province et tout pays dépendant de l'empire britannique ou tout pays étranger ;

(c) Les travaux qui, bien qu'entièrement situés dans la province, seront avant ou après leur exécution déclarés par le parlement du Canada être pour l'avantage général du Canada, ou pour l'avantage de deux ou d'un plus grand nombre de provinces ;

11. L'incorporation des compagnies pour des objets provinciaux ;
12. La célébration du mariage dans la province ;
13. La propriété et les droits civils dans la province ;
14. L'administration de la justice dans la province, y compris la création, le maintien et l'organisation de tribunaux de justice pour la province, ayant juridiction civile et criminelle, y compris la procédure en matières civiles dans ces tribunaux ;
15. L'infliction de punitions par voie d'amende, pénalité ou emprisonnement, dans le but de faire exécuter toute loi de la province décrétée au sujet des matières tombant dans aucune des catégories de sujets énumérés dans le présent article ;
16. Généralement toutes les matières d'une nature purement locale ou privée dans la province. » (*Loi constitutionnelle de 1867*, article 92)

On voit déjà que le gouvernement fédéral ne respecte pas, à tout le moins dans son esprit, la Constitution. Comment se fait-il qu'il taxe pour des fins provinciales depuis des années et redistribue selon ses programmes des sommes qui auraient dû être prélevées directement par les provinces ? De la même façon, comment se fait-il que des entreprises ne faisant des affaires qu'à l'intérieur de la province soient incorporées selon la *Loi fédérale des compagnies* ? Bref, avec le temps, le gouvernement fédéral a grugé, lentement mais sûrement, les compétences provinciales.

Le gouvernement fédéral s'est servi notamment de jugements du Conseil privé et de la Cour suprême du Canada. Par ailleurs, il semble clair que les gouvernements qui se sont succédé à Québec ont accepté des comportements plus que douteux de la part du fédéral, quels que soient les arguments utilisés par celui-ci pour les justifier. Ces acceptations répétées nous ont menés à une pratique totalement contraire à l'esprit de la Constitution.

L'absence de limite imposée clairement au gouvernement fédéral lui permet, du moins le prétend-il, d'envahir les champs de compétence provinciaux et du même coup de réduire les possibilités fiscales des provinces. Car les deux paliers taxent les mêmes contribuables, rappelons-le, et doivent pour cette raison respecter leur capacité de payer.

En même temps qu'il affirme que son pouvoir de taxer n'a pas à être limité par les provinces, le gouvernement fédéral prétend qu'il possède un pouvoir infini de dépenser.

7.1.2. Le pouvoir de dépenser du fédéral

D'après la Commission Séguin, qui était présidée par l'actuel ministre des Finances du Québec, ce pouvoir n'existe pas dans le texte de la Constitution. Il est le fruit de l'habitude et de la répétition. Il ferait donc partie du droit coutumier. « L'expression "pouvoir de dépenser", telle que consacrée dans le discours constitutionnel canadien, réfère à l'affirmation idéologique d'un pouvoir inexistant. » (Commission sur le déséquilibre fiscal, 2002, Annexe 2, p. 9.)

Ce pouvoir a fait l'objet de longues discussions chez les juristes et les constitutionnalistes. Pour plusieurs, il serait la simple conséquence du pouvoir de taxer. Nous sommes alors confondus par l'intelligence du propos. Le fait que le fédéral possède un pouvoir de taxer qui n'a pas été formellement limité lui donnerait le droit de dépenser tant qu'il le veut et, corollairement, d'envahir tous les champs de compétence des provinces. La version exacerbée de cette façon de penser correspond à ce que la Commission sur le déséquilibre fiscal appelle la théorie du cadeau :

> Le courant prépondérant parmi les tenants de la constitutionnalité du pouvoir de dépenser le fonde sur la théorie du « cadeau » : les autorités fédérales, une fois propriétaires de revenus fiscaux, pourraient les distribuer à leur guise comme cadeau à des provinces ou des personnes morales ou physiques qui ne sont pas obligées de les accepter – et donc pas soumises involontairement aux conditions normatives qu'elles édictent – et cela en vertu de la prérogative royale et du *common law* [...] (Commission sur le déséquilibre fiscal, 2002, p. 10.)

Nous référons le lecteur au rapport de la Commission sur le déséquilibre fiscal pour une discussion plus détaillée de ces questions. Cependant, force est d'ajouter que les arguments soulevés pour justifier le pouvoir de dépenser d'Ottawa sont, la plupart du temps, des interprétations tordues des textes, faites par des gens dont le désir de plaire au gouvernement central l'emporte visiblement sur la rigueur de l'analyse.

Le gouvernement fédéral utilise ce prétendu pouvoir comme s'il avait préséance sur tous les articles de la Constitution, alors qu'il n'en fait pas partie. Mais même si c'était le cas, la question de la priorité des articles et de l'ordre logique entre ceux-ci demeure. Or on voit mal des gens rédiger une constitution qui prévoit d'un côté un partage des pouvoirs et de l'autre l'envahissement total de tous ces champs de pouvoir par une clause omnibus.

D'ailleurs, le gouvernement fédéral ne cesse de se référer à la Constitution comme à un obstacle empêchant le Québec de proclamer sa souveraineté, alors que pour le reste, il la manipule comme il le veut. De plus, le fédéral invalide en grande partie la Constitution en signant des ententes internationales qui limitent ses pouvoirs. Il crée alors de nouvelles constitutions au-dessus de la Constitution, et ce, pratiquement sans demander l'autorisation des citoyens. Il se contente de faire ratifier ces accords par les parlements, dont les membres votent souvent sans être allés au fond du débat, parfois même sans débat du tout. L'Accord de libre-échange nord-américain (ALENA) et, bientôt, l'Accord général sur le commerce des services (AGCS) limitent les pouvoirs des États et attribuent à des organismes sans aucune représentativité démocratique une partie de leur souveraineté.

On aurait pu espérer que le gouvernement du Québec contesterait devant les tribunaux compétents les prétentions d'Ottawa quant au prétendu pouvoir de dépenser. Malheureusement, même quand il s'agissait d'en demander le retrait, le gouvernement du Québec a toujours reconnu que le pouvoir de dépenser existait :

> Le Québec continue à croire qu'idéalement, ce pouvoir de dépenser dans des matières relevant de la compétence exclusive des provinces devrait tout simplement ne pas exister et que le gouvernement fédéral ferait mieux d'y renoncer tout bonnement. (Bourassa, 1970, p. 16.)

En demandant au gouvernement fédéral d'y renoncer, il en reconnaît l'existence, ce qui est une prise de position importante. Ces positions, devenues presque normales, ont été reprises par des premiers ministres du Parti québécois.

> Depuis quelques années, Ottawa diminue de façon graduelle mais constante les transferts financiers aux provinces ; il utilise la marge de manœuvre ainsi acquise, non pour réduire la taille de son déficit, mais pour intervenir dans des champs de compétence provinciaux, en utilisant son pouvoir de dépenser. Limiter l'exercice de ce pouvoir qui constitue le moyen privilégié de l'offensive fédérale est devenu une priorité. (Lévesque, 1984, p. 16.)

Malgré ces belles paroles de René Lévesque, peu d'actions ont été prises en ce sens par les différents gouvernements qui se sont succédé à Québec, quelles que soient leurs allégeances politiques et constitutionnelles.

Il existe aussi un sous-produit du prétendu pouvoir de dépenser du gouvernement fédéral. On pourrait l'appeler le « pouvoir de ne pas dépenser et d'écœurer le monde pareil » : il consiste à établir des normes pancanadiennes dans des domaines qui ne relèvent pas de sa compétence, et ce, sans ajouter de montants à la péréquation. Il est difficilement concevable qu'une telle perversion du système ne soit pas remise en question devant les instances appropriées. Même si elle penche toujours du côté d'Ottawa, il serait intéressant de voir la Cour suprême rendre par écrit un jugement qui, cette fois, ne ferait pas que privilégier le droit coutumier par rapport au droit écrit et constitutionnel, mais ferait découler de ce droit coutumier des droits accessoires, tirés par les cheveux, qui eux aussi seraient en contradiction avec la Constitution.

7.1.3. Divergences de vues

Que les surplus s'accumulent à Ottawa ou à Québec, quelle est la différence ? Contrairement à ce que l'on pourrait croire, elle est énorme. D'abord, Québec et les autres provinces n'accumulent pas des surplus, mais luttent à coups de réductions draconiennes dans les programmes sociaux pour ne pas accumuler de déficits. Nous verrons plus loin que les provinces pourraient entre autres réduire les dépenses fiscales plutôt que les services essentiels. Que ce manque à gagner plaise aux chefs des gouvernements provinciaux, qui veulent restreindre les programmes sociaux pour des raisons idéologiques, c'est une autre question.

Cette accumulation de surplus à Ottawa, grâce à un jeu de vases communicants et grâce à la limite de la taxation que les deux paliers peuvent ensemble imposer, cause aux provinces de graves difficultés budgétaires. En fait, pendant que les surplus s'accumuleront au fédéral, les provinces retomberont probablement en déficit.

TAB. 7.1 – L'ampleur des surplus selon le Conference Board (moyennes annuelles en milliards de dollars)

Années	Fédéral	Québec
2002-03	0,2	-1,8
2003-04	2,1	-2,2
2004-05	2,3	-2,6
2005-10	11,6	-2,5
2011-15	30,8	-3,3
2016-20	67,8	-4,2

De plus, ces chiffres sont trompeurs, car ils sont calculés après les nouvelles dépenses et réductions fiscales dues à la présence de ces surplus [1]. Pour 2003-2004, le surplus réel serait davantage de l'ordre de 50 milliards de dollars avant toute réallocation des fonds.

On voit que le gouvernement central accumulera beaucoup de fonds, à coups de 30 ou 60 milliards de dollars par année, pendant que le Québec devra replonger dans le déficit pour maintenir la méthode actuelle d'attribuer les fonds. On pourrait dépenser autrement, mais le fédéral aussi ; la question n'est pas là. Le fait est que le fédéral utilise son poids politique et son contrôle des institutions juridiques pour placer les provinces dans une situation intenable. De fait, l'ampleur des surplus du gouvernement fédéral est un problème en soi. Il est ridicule de prétendre que le Québec se nuit à lui-même en ayant un système d'assurance-maladie pendant que le fédéral peut choisir d'augmenter ses dépenses au titre de la défense nationale et ainsi utiliser ses surplus. Il est vrai que le gouvernement fédéral devrait peut-être acheter de meilleurs sous-marins. Mais peut-on proposer de remplacer des dépenses en santé par des dépenses militaires pour le seul plaisir de donner raison au fédéral ? L'équation est tellement étonnante qu'il faut préciser qu'elle vient d'André Pratte, dans *La Presse* du 30 octobre 2004.

Les provinces connaissent donc des pressions énormes. Et ce n'est pas fini : le gouvernement fédéral aura de plus en plus les moyens de faire pression sur elles et de s'accaparer des parcelles de pouvoir qui ne lui reviennent pas de droit constitutionnel.

De plus, il n'y a pas de vision commune quant à l'utilisation des surplus. Lorsqu'on leur pose la question, les Québécois sont massivement en faveur d'un réinvestissement en santé et en éducation, alors que les autres Canadiens préfèrent pour la plupart une réduction de la dette et des impôts. Les divergences de vues ne sont pas nécessairement si importantes en ce qui concerne la nécessité d'investir dans la santé et l'éducation. L'investissement dans les autres programmes sociaux, par contre, divise les deux

1. Quand le gouvernement fédéral prévoit un surplus, il l'utilise à l'avance en engageant des dépenses supplémentaires. Donc, l'ampleur du surplus avant ces nouvelles dépenses était plus importante encore.

groupes. Quand on lui pose la question, le reste du Canada privilégie habituellement le remboursement de la dette à un investissement dans les programmes sociaux.

La vision de l'utilisation des surplus ne peut que diverger étant donné les profondes différences culturelles en présence. La manière néolibérale de voir le monde se base sur un individualisme forcené qui ne peut que privilégier la diminution de la dette plutôt que le renforcement du filet social. La primauté des intérêts individuels peut aller assez loin :

> Mais alors que Rousseau se fonde sur une vision globale de la société [...], Godwin se fonde sur une représentation radicalement atomisée de la société. C'est parce que la société n'est pour lui qu'un agrégat d'individus que le principe de la représentation est condamnable ; il est contradictoire avec l'affirmation de la souveraineté absolue du jugement privé. (Rosanvallon, 1989, p. 155.)

Une telle société individualiste ne laisse pas nécessairement les autres mourir à sa porte. Mais elle abandonne à la bonté et à la charité individuelle le soin de s'occuper de ces questions. Cet individualisme exacerbé est devenu la principale opposition au syndicalisme. Il pose justement l'impossibilité de négocier les contrats collectivement, puisque les principes de l'économie libérale (qui n'existent pas dans les entreprises) impliquent que les contrats soient perpétuellement renégociés sur une base individuelle.

Il serait toutefois très exagéré de prétendre que tous les Anglo-saxons pensent ainsi. Ce que nous disons ici, c'est que cette façon de voir est celle du néolibéralisme débridé qui règne aujourd'hui, dont les sources et les têtes de pont sont anglo-saxonnes.

L'exagération de cette idéologie mène donc au rejet des formules démocratiques que nous connaissons. Préserver la diversité culturelle, c'est préserver ces différences fondamentales entre les façons de voir des peuples. La manière néolibérale de penser le monde est au pouvoir depuis près de deux siècles. Si ses acquis sont énormes, ses ratés sont aussi de plus en plus apparents. À ce rythme, la version exacerbée de cette idéologie, la mondialisation, risque de faire sombrer le monde dans ses effets les plus pervers.

7.2. Les revendications du Québec

Depuis Maurice Duplessis, tous les premiers ministres du Québec ont revendiqué des ajustements fiscaux. Maurice Duplessis disait :

> À quoi servirait aux provinces le droit de bâtir des écoles et des hôpitaux s'il leur fallait se présenter devant une autre autorité pour obtenir les argents [sic] nécessaires ? Leur souveraineté en matière d'enseignement et d'hospitalisation serait alors un vain mot. (Duplessis, 1956.)

La souveraineté des provinces est presque devenue un « vain mot » dans les domaines les plus importants où elle s'exerçait. Elle est sans cesse remise en question par la façon de fonctionner du fédéral. Dans des discussions qui sont devenues la règle du système, ce dernier a obtenu le rôle de « père pourvoyeur » avec des budgets qui, au fond, ne lui appartiennent pas. Daniel Johnson ajoutait :

> Le Québec souhaite que l'on comprenne une fois pour toutes que pour des raisons socioculturelles, il tient de façon absolue et intégrale au respect de ses compétences constitutionnelles et qu'il n'accepte, à leur propos, aucune ingérence fédérale directe et indirecte. (Faits saillants du mémoire du Québec à la quatrième réunion du Comité du régime fiscal, année, p. 2.)

En dépit de ces énoncés d'intention, le Québec n'a jamais cessé de laisser le fédéral empiéter sur ses prérogatives et s'immiscer dans ses compétences. D'ailleurs, historiquement, le gouvernement fédéral a toujours joué la carte du fait accompli dans ce domaine. En 1917, il a imposé un impôt sur les revenus des individus et des entreprises. Ce champ de taxation était auparavant l'apanage des provinces. Cette taxe devait être temporaire.

En 1949, la loi qui l'instituait a été abrogée pour être remplacée par une autre loi équivalente ayant une base permanente. (Site Internet du gouvernement du Canada.)

7.3. Un problème réel

Notre propos ici n'est pas de régler la question, mais bien de montrer, entre autres choses, que le problème est important et que les discussions à ce sujet sont nombreuses.

Dans un effort de centralisation de plus en plus accentué, qui s'insère dans un projet néolibéral visant à favoriser le monde des affaires (diminution d'impôts, remboursement de la dette, subventions, cadeaux aux amis du régime, etc.), le gouvernement fédéral accumule des surplus énormes et investit les champs de compétence provinciale en étouffant fiscalement les provinces. Pour ce faire, il se base sur des avis qui semblent pour le moins farfelus, pour ne pas dire intéressés. En attendant la souveraineté et le contrôle complet de notre fiscalité, ces mauvais principes devraient faire l'objet d'une série de mesures par le gouvernement du Québec, qui doit cesser d'être sur la défensive et passer à l'attaque.

Chapitre 8

Les revenus totaux

LES REVENUS du gouvernement du Québec proviennent de plusieurs sources qui témoignent de la diversité de la fiscalité. La répartition de ces revenus change avec le temps, alors que la vision de la fiscalité évolue, sinon dans la population, du moins chez les élus.

8.1. Les sources des revenus de l'État

Le tableau 8.1 montre les différentes sources de revenus et leur proportion.

Alors que la portion des impôts provenant des entreprises du secteur privé diminue, ce sont les entreprises du gouvernement qui ont le plus augmenté leur contribution. Cependant, les revenus des entreprises du gouvernement, que ce soit Hydro-Québec ou la SAQ, viennent en très grande part des particuliers. La taxe à la consommation vient aussi des particuliers, car les entreprises sont remboursées ou la transmettent jusqu'au bout du processus, c'est-à-dire jusqu'au consommateur (le particulier). Ainsi, la part des particuliers augmente, mais leurs impôts diminuent. Si les impôts sont encore légèrement progressifs, les taxes, elles, sont régressives : tous paient le même taux, quelle que soit leur capacité de payer.

Tab. 8.1 – Revenus autonomes du gouvernement (en millions $)

	Réel 2002	%	Préliminaires 2003	%
Impôt sur le revenu des particuliers	15 923	39	16 081	37
Fonds des services de santé	4 291	11	4 479	10
Impôts des sociétés	4 029	10	3 735	9
Taxes à la consommation	9 745	24	10 839	25
Entreprises du gouvernement	2 731	6	3 907	9
Organismes consolidés	1 940	4	1 943	4
Autres sources	2 345	6	2 419	6
Total	41 004	100	43 403	100

Source : Finances Québec, *Plan Budgétaire*, 2003, p. 5.

La fiscalité québécoise glisse lentement vers les taxes régressives. Ici, l'effet demeure faible en apparence, mais nous n'avons que les données de deux années consécutives.

Les transferts en provenance du gouvernement fédéral sont légèrement au-dessus de 9 milliards de dollars. Ces transferts se divisent comme suit :

Tab. 8.2 – Revenus de transfert (en millions $)

Rubrique	2002-2003	2001-2002
Péréquation	5 315	5 336
Transfert canadien en matière de santé et de programmes sociaux (TCSPS)	2 648	2 958
Autres transferts liés aux accords fiscaux	34	27
Autres programmes	935	564
Organismes consolidés	371	420
Total des transferts fédéraux	9 303	9 305

Source : Ministère des Finances, *Plan budgétaire*, 2003, p. 28.

Les revenus liés aux autres programmes sont de plus en plus remplacés par les transferts liés au programme canadien de santé. Le gouvernement central intensifie donc son contrôle du secteur le plus important dans le budget des provinces, alors que ce dernier, rappelons-le, est un champ réservé aux provinces en vertu de la Constitution. Le gouvernement Martin a d'ailleurs clairement affirmé son intention de poursuivre dans ce sens et même d'aller encore plus loin. L'argument du gouvernement fédéral est qu'il faut une protection de la santé des citoyens du pays en entier, se référant implicitement à la théorie du bon gouvernement. Cependant, il accuse en quelque sorte les gouvernements provinciaux d'être – presque par essence – irresponsables et prêts à négocier la qualité de la couverture des soins de santé. Les gouvernements provinciaux finiront bien par lui donner raison quand ils seront suffisamment étouffés par l'appropriation fiscale fédérale. Notons au passage que certains éditorialistes reprochent aux différents gouvernements du Québec d'avoir doté la province d'un système public de santé ; ils voient même là une explication majeure des besoins de fonds supplémentaires de l'État québécois. Remarquons toutefois que ces éditorialistes qui trouvent que notre système public de santé est trop bon et qui voudraient donc en privatiser une partie, travaillent pour une multinationale qui possède aussi les plus importantes compagnies d'assurances au Québec. Or les compagnies d'assurances sont les premiers bénéficiaires d'une privatisation des services de santé. En conséquence, on peut dire que si quelqu'un s'est bien occupé de la santé au Canada, c'est le gouvernement du Québec. Il n'a aucune leçon à recevoir du gouvernement fédéral à ce chapitre.

Si l'on détaille les revenus autonomes du gouvernement du Québec, on obtient ce qui suit :

De 2002 à 2003, les revenus du gouvernement ont augmenté de 4,5 %, alors que le PIB a augmenté de 5,2 %. Cela veut dire que l'augmentation de la richesse n'a pas été taxée uniformément. Effectivement, on voit que les impôts sur les revenus, par exemple, qui sont imposés progressivement, n'augmentent que très peu alors que les taxes à la consommation, qui sont régressives, augmentent beaucoup plus vite. Il y a donc, comme nous l'avions déjà remarqué, un glissement vers les taxes régressives.

Les taxes de vente, dans la période couverte, ont augmenté de 23 %. Pendant ce temps, les impôts sur les revenus et les biens ont augmenté d'à peine 1 % globalement, la plus grande partie de cette augmentation étant absorbée par les cotisations au fonds de service de santé (plus de 4 % d'augmentation), qui est la forme la plus régressive de ces impôts.

Les droits et permis utilisés par les citoyens augmentent alors que les droits sur les ressources naturelles diminuent presque de moitié. Comme nous n'avons pas perçu une telle diminution de l'utilisation des ressources naturelles, on peut croire que l'abolition de certains droits explique cette diminution. Les droits sur les ressources naturelles sont déjà à leur niveau minimal ; s'il faut les diminuer encore, nous revenons à l'époque de Duplessis où le Québec était pillé (encore plus que maintenant) sous le regard complaisant des gouvernements [1].

Les revenus des sociétés d'État les plus importantes augmentent. Par exemple, les bénéfices d'Hydro-Québec ont presque doublé, pendant que ceux de Loto-Québec augmentaient de 6 %. Allons-nous baser le budget de l'État sur les revenus de Loto-Québec, qui proviennent très souvent, ne l'oublions pas, des couches les plus défavorisées de la population ? C'est plus de 2 % du budget de l'État qui provient de la loterie. Nous devons sérieusement réfléchir aux implications sociales et éthiques de l'utilisation de telles sources de revenus.

Les profits de la Société des alcools (SAQ) ont augmenté de 22 % de 2002 à 2003. Il est toutefois difficile de déterminer si cette hausse est due à l'augmentation de la consommation d'alcool des Québécois ou au fait que la société d'État a été gérée d'une manière moins somptuaire.

Les revenus des autres organismes d'État ont diminué d'une manière importante pour devenir, à 174 millions de dollars, presque marginaux. La plus grosse part des revenus de l'État demeure l'impôt des particuliers. Le prochain chapitre analyse en détail cette source de revenus.

Pour améliorer sa situation budgétaire, le gouvernement du Québec a décidé de se tourner vers une diminution des dépenses plutôt que vers un ajustement des revenus. C'est ce qu'il appelle « l'assainissement des finances publiques ». Or cet assainissement

1. Nous avons supposé ici que les droits sur les ressources naturelles étaient payés par les utilisateurs, par exemple les entreprises qui les exploitent. Nous proposerons plus loin l'instauration de véritables redevances sur les ressources naturelles, l'eau y compris.

implique un corollaire important pour des gouvernements néolibéraux : la diminution et la privatisation des services publics.

Le prétendu assainissement des finances publiques est censé recréer des conditions favorables pour le développement économique et, par voie de conséquence, relancer l'emploi.

8.2. Les effets de « l'assainissement des finances publiques »

La mondialisation se traduit par une standardisation des dépenses des États et une limitation de leur pouvoir de dépenser. Inutile de dire que notre ex-ministre des Finances, Yves Séguin, fait partie de ceux qui ont participé avec le plus d'enthousiasme à lier les mains des gouvernements, et ce, bien avant sa dernière entrée au Parlement. Cependant, son dernier discours du budget reflète exactement cette façon de voir.

D'abord, il adhère totalement à la réduction du rôle de l'État. Cette réduction s'appelle, dans le jargon à la mode, « assainissement des finances publiques » : « Assainir les finances publiques, une condition nécessaire à la création d'emploi. » (Budget, p. 7.)

Or il semble qu'aucune tentative d'assainissement des finances publiques n'ait jamais créé aucun emploi, où que ce soit. Au contraire, la réduction des effectifs de l'État s'est traduite en chômage relativement généralisé.

« Pour se procurer les ressources qui leur font défaut, ils (les gouvernants) démantèlent à tour de bras le secteur public – et feignent d'ignorer que les entreprises ainsi privatisées s'empresseront de jeter sur le pavé quelques centaines de milliers de chômeurs supplémentaires. » (Julien, 1996.)

L'explication est bien simple : « Pour ce qui est des charges fiscales imposées plus directement aux entreprises, elles viennent diminuer la rentabilité de leurs investissements. » (Budget, p. 7.) Il s'agit donc de réduire le fardeau fiscal des entreprises et, par le fait même, la redistribution d'une richesse qui continue pourtant d'être produite en dépit de l'augmentation du chômage. Or, ne l'oublions pas, pour un budget de dépenses donné, toute réduction de l'impôt des entreprises est un transfert de charge vers les ménages. Parmi ces ménages, les plus riches sont épargnés par une série de mesures spéciales en faveur des gros investisseurs et des revenus très élevés. Il ne reste donc que le moyen et moyen-petit contribuable pour payer la facture. Quand ceux-ci ont atteint un niveau « plafond » de taxation, il ne reste plus qu'à comprimer les dépenses de l'État. Effectivement, cette logique de la réduction de l'État, dont le but principal est la diminution de la contribution des entreprises et des nantis, semble se développer. En France comme chez nous, on fait la constatation suivante :

> D'une part, la politique suivie a systématiquement appauvri l'État en le dépouillant de ses moyens fiscaux de financement des interventions économiques et sociales. Ainsi la part des impôts d'État n'a cessé de diminuer, passant de 17,6 % à 14,7 % du produit intérieur brut entre 1985 et 1995. (De Brie, 1996.)

Pour réduire le déficit, on n'a pas choisi d'augmenter un revenu qu'on ne peut plus puiser chez la classe moyenne, qui devient elle-même de plus en plus pauvre. Par contre, comme nous le verrons plus loin, une plus juste répartition des revenus des groupes les plus favorisés, par l'intermédiaire de la fiscalité, est très faisable. On a plutôt choisi de « réduire le déficit, d'abord en réduisant les dépenses ». (Budget, 2004-2005, p. 9.) De cette façon, les avantages fiscaux des entreprises sont pratiquement conservés. Il faut également souligner le « bouquet » de mesures destinées à encourager la création de nouvelles entreprises. On a là une vision qui se situe dans le droit fil de la nouvelle conception du travail, selon laquelle chacun doit devenir un petit entrepreneur.

En ce qui concerne les particuliers, on ne touche aucunement aux abris fiscaux des mieux nantis, dont le plafond élevé de déduction pour des REER, par exemple. On s'attaque plutôt aux crédits d'impôt des personnes vivant seules et des personnes âgées, ainsi qu'aux déductions pour cotisations syndicales et professionnelles. Notons au passage que « l'injustice de la déduction des cotisations professionnelles », qui rapportent davantage pour les revenus élevés, est souvent fallacieuse, parce que cette cotisation est payée par les revenus d'entreprise et, de ce fait, déduite au plein montant. Seuls feront les frais de cette justice les quelques petits professionnels qui paient leurs cotisations directement sans être remboursés par une entreprise.

Nous assistons donc à une réduction massive des dépenses. En même temps, l'État se désengage par rapport à son rôle de redistributeur de la richesse, qui continue pourtant d'être générée dans l'économie, en dépit et même à l'aide du chômage.

> Aux États-Unis, [...] la création de nouveaux emplois a chuté de 220 000 en juin 1996 à 193 000 en juillet, faisant passer le taux de chômage – officiel, mais en réalité très supérieur – de 5,3 % à 5,4 %. Pour décevant qu'il soit, ce résultat « réjouit Wall Street » où le Dow Jones gagne 70 points en une seule journée. [...] cette « moderne » logique avait déjà été illustrée par la hausse des actions du géant AT&T à l'annonce de 40 000 licenciements. (Julien, 1996.)

Il semble que l'augmentation du chômage crée l'espoir sur les marchés boursiers. Serait-ce la perspective de profits non taxés, autrement dit, de produits sans masse salariale, qui produit cet effet ?

Contrairement à ce qu'on tente de nous faire croire actuellement pour justifier une décroissance extrême de l'État, les dépenses des gouvernements, à l'époque des déficits, n'étaient pas seulement la démonstration de la folie des grandeurs des dirigeants et un gaspillage éhonté de fonds publics. Ces dépenses, qui étaient souvent des investissements, ont servi à construire, d'une manière ou d'une autre, les infrastructures essentielles au développement économique. Elles ont aussi servi à soutenir des politiques assez cohérentes de développement qui ont donné des résultats tangibles.

On laisse aujourd'hui se désagréger les infrastructures qui sont devenues moins essentielles. La seule politique de développement qui nous reste consiste à arroser les riches en espérant qu'il en retombera un peu sur les pauvres. Non seulement les routes et les rues sont dans un état lamentable, mais la région de Montréal, par exemple, connaît un déficit routier important. Ce serait sans doute un lieu privilégié pour instaurer d'autres méthodes de transport, plus conformes aux principes du développement durable, mais rien de tel n'est encore projeté.

On paie pour créer des commerces, entreprises sans valeur ajoutée, qui concurrencent ceux qui existent déjà (Plan Paillé), ce qui ne règle en rien le problème du chômage, mais le déplace. Ce retrait de l'État, nous l'avons dit, passe par l'encouragement de ce que nous avons appelé la nouvelle économie. Dans le budget, cet encouragement se traduit par un autre « bouquet » de mesures qui embaume le néolibéralisme et des positions de base du genre : « L'État se doit de créer un environnement favorable au développement des PME, parce qu'elles sont les plus grandes créatrices d'emplois. » (Budget, p. 29.) Pour y parvenir, l'État supprime les « entraves injustifiées » et réduit les « irritants administratifs » afin d'améliorer la compétitivité des PME.

L'obsession du déficit zéro s'est aussi matérialisée dans l'affaiblissement du filet social, dont il ne reste que quelques lambeaux bien insuffisants pour assurer la protection des laissés pour compte du développement économique. N'ayant plus besoin de travailleurs, les entreprises font pression sur l'État pour qu'il abandonne à leur sort les chômeurs et les démunis.

8.3. Des sources de revenu mal réparties

L'État que nous avons connu est en processus de mutation. Jusqu'à tout récemment, l'État servait de catalyseur pour les grands projets d'infrastructures nécessaires au développement des entreprises et il soutenait le développement de ce que même le gouvernement fédéral appelle maintenant les « ressources humaines », transformant ainsi ses citoyens en chair à profit. Il sera bientôt devenu inutile dans ce rôle, puisque les grandes entreprises multinationales dépassent la taille de plusieurs États. De plus, ces multinationales ont de moins en moins besoin de main-d'œuvre. Elles sont donc beaucoup moins portées à dépenser pour l'éducation, la santé ou le soutien d'une population, qui restera toujours suffisante, somme toute, pour leurs besoins de main-d'œuvre.

En conséquence, les modes de taxation de l'État se modifient. Les revenus deviennent de plus en plus incertains, pendant que la richesse créée augmente sans arrêt selon toutes les mesures existantes.

L'assainissement des finances publiques apparaît alors pour ce qu'il est : une façon de laisser les entreprises et leurs dirigeants s'emparer de la richesse. Pendant ce temps, en parallèle, le gouvernement met sur pied une économie de pauvres : l'économie sociale.

TAB. 8.3 – Détail des revenus du gouvernement du Québec (en millions $)

Revenus	1999-2000	2002-2003
Impôts sur les revenus et les biens		
Impôts sur le revenu des particuliers	16 074	16 081
Cotisations au Fonds des services de santé	4 291	4 479
Impôts des sociétés	3 643	3 735
	24 008	24 295
Taxes à la consommation		
Ventes	6 761	8 327
Carburants	1 560	1 645
Tabac	498	867
	8 819	10 839
Droits et permis		
Véhicules automobiles	667	690
Boissons alcooliques	139	157
Ressources naturelles	354	201
Autres	182	178
	1 342	1 226
Revenus divers		
Vente de biens et de services	422	441
Intérêts	363	331
Amendes, confiscations et recouvrements	345	421
	1 130	1 193
Revenus provenant des entreprises d'État		
Société des alcools du Québec	442	540
Loto-Québec	1 289	1 363
Hydro-Québec	1 090	1 840
Autres	1 106	174
	3 927	3 907
Organismes consolidés	1 850	1 943
Transferts	6 334	9 303
Total	47 410	52 706

Source : Finances Québec, *Plan budgétaire,* 2003, p. 28.

Chapitre 9

L'impôt des particuliers

LES DONNÉES de ce chapitre sont tirées en grande partie des statistiques établies à partir des déclarations d'impôt remplies par les contribuables du Québec. Les revenus sont donc ceux qui sont déclarés. Nous discuterons plus loin de l'évasion fiscale, mais sans connaître les montants en cause d'une manière précise puisque, théoriquement, les informations concernant les contribuables sont confidentielles.

La dernière année pour laquelle nous disposons de ces statistiques est l'année 2000. Nous croyons que la situation n'a pas vraiment changé depuis et que les conclusions que nous pouvons en tirer s'appliquent à la situation actuelle.

9.1. Qui sont les contribuables québécois?

Regardons, dans un premier temps, le profil global des contribuables.

Globalement, les Québécois paient 11,1 % d'impôt sur leurs revenus. Il faut dire, cependant, que plusieurs d'entre eux ne sont pas imposables. Sur les 5 504 000 contribuables, 2 122 000 ne sont pas imposables. Ce groupe constitue 38,6 % des contribuables qui, de fait, ne contribuent pas, du moins par l'impôt sur le revenu. Rappelons que le taux de chômage est officiellement

TAB. 9.1 – Profil général des contribuables québécois en l'an 2000

Nombre de contribuables	5 504 000
Revenu total (en millions de dollars)	152 582
Impôt à payer (en millions de dollars)	16 982
Impôt à payer par contribuable (en dollars)	3 085

Source : Gouvernement du Québec, *Statistiques fiscales des particuliers, année d'imposition 2000*, p. 1.

autour de 10 % ; c'est donc dire qu'il y a un nombre important de gens qui travaillent sans avoir de revenu imposable. Nous y reviendrons, mais disons tout de suite que ce groupe se divise au moins en deux catégories. D'un côté, il y a les vrais petits salariés, qui gagnent des salaires de famine – le salaire minimum, par exemple – qui ne leur permettent pas de dépasser le niveau des déductions de base. Dans ce groupe se trouvent plusieurs travailleurs autonomes qui gagnent difficilement leur vie. Ce ne sont pas les abris fiscaux qui viennent diminuer leurs revenus, car ces abris coûtent cher et il faut avoir les moyens de les utiliser. De l'autre côté, nous avons une autre série de travailleurs autonomes, professionnels de tout acabit, qui n'arrivent pas – du moins le déclarent-ils – à rendre leur entreprise ou leur cabinet professionnel rentable. Ils vivent pourtant très bien, mais ne déclarent pas de revenus imposables.

Ce profil global, quand il est décomposé pour montrer la portion des hommes et celle des femmes, exprime le chemin qui reste à faire à celles-ci pour atteindre une réelle égalité, surtout en ce qui a trait à leur rémunération (voir tableau 9.2).

Si l'on exclut que les femmes sont de bien meilleures fiscalistes que les hommes, force est de reconnaître qu'elles n'ont pas de revenus comparables, en général, à ceux des hommes. La différence demeure importante. Cette différence de revenus imposables ne reflète pas nécessairement les disparités dans la rémunération entre les hommes et les femmes pour un travail équivalent. Elle exprime, en revanche, la précarité économique dans laquelle vivent encore plusieurs femmes.

Tab. 9.2 – Répartition des contribuables québécois en fonction du sexe

	Femmes	(%)	Hommes	(%)
Nombre total de contribuables	2 778 384	50,5	2 725 637	49,5
Imposables	1 486 901	27,0	1 894 839	34,4
Non imposables	1 291 483	23,5	830 798	15,1

Source : Gouvernement du Québec, *Statistiques fiscales des particuliers, année d'imposition 2000,* p. 7.

Les contribuables les plus nombreux ont entre 25 et 44 ans :

Tab. 9.3 – Profil des contribuables québécois en fonction de l'âge

Groupe d'âge	Nombre	%	Revenu (milliards $)	%
Moins de 25 ans	687 000	12,5	7 787	5,2
25 à 44 ans	2 132 000	38,7	64 444	42,2
45 à 64 ans	71 755 000	31,9	59 261	38,8
65 ans et plus	930 000	16,9	21 090	13,8
Total	5 504 000	100	152 582	100

Source : Gouvernement du Québec, *Statistiques fiscales des particuliers, année d'imposition 2000,* p. 9.

Malgré qu'il y ait encore des retraités ayant de bons fonds de pension, les revenus des personnes âgées diminuent sensiblement à la retraite. Il y a encore du chemin à faire pour assurer une vraie sécurité aux retraités en général. En fait, la pension des prochains retraités risque de devenir de plus en plus précaire, à cause de la tendance des employeurs à remplacer la prestation fixe (pourcentage de la rémunération des quelques dernières années) par une prestation variant en fonction du rendement boursier, la caisse étant confiée à des gestionnaires affairistes qui la jouent en Bourse. Le fait que les plus jeunes et les plus âgés gagnent une proportion des revenus inférieure au pourcentage qu'ils représentent dans le nombre total de contribuables confirme que ces deux groupes sont les plus pauvres de notre société. Notons, cependant, que dans le groupe des jeunes, se trouvent des revenus d'étudiants provenant des emplois d'été ou des emplois à temps partiel. Il est donc difficile de juger de cette catégorie comme d'une classe homogène.

Pour le profil global, on peut aussi séparer les contribuables en fonction du niveau de revenus.

TAB. 9.4 – Profil des contribuables québécois en fonction du niveau de revenus

Tranche du revenu total	Nombre	%	Revenu total (milliards $)	%
Moins de 20 000 $	2 781 000	50,5	26 624	17,5
20 000 $ à 29 999 $	880 000	16,0	21 878	14,3
30 000 $ à 49 999 $	1 089 000	19,8	41 959	27,5
50 000 $ à 99 999 $	651 000	11,8	42 399	27,8
100 000 $ et plus	104 000	1,9	19 721	12,9
Total	5 504 000	100,0		

Source : Gouvernement du Québec, *Statistiques fiscales des particuliers, année d'imposition 2000,* p. 10.

La moitié des contribuables québécois gagnent moins de 20 000 $ et deux tiers d'entre eux gagnent moins de 30 000 $. Ici, nous ne parlons pas du revenu imposable mais bien du revenu total. On voit aussi que la moitié des contribuables gagnent seulement 17,5 % de l'ensemble des revenus. Il reste encore bien du travail à faire pour fournir aux Québécois un revenu décent et un début de justice sociale, surtout si l'on considère qu'à 20 000 $ de revenu brut, on aura des impôts à payer. Nous sommes encore loin de parler d'égalité des chances.

Il faut noter, en passant, que 1,1 % des contribuables gagnant plus de 100 000 $ ne paient aucun impôt, et que ce type de contribuables se retrouve dans tous les niveaux de revenus. Ils ont trouvé le moyen d'effacer leurs revenus avec des déductions et des crédits d'impôts. D'ailleurs, les déductions ne sont pas réparties selon les revenus.

Certains diront qu'il est normal que ceux qui gagnent les plus hauts revenus aient les moyens d'utiliser des déductions non accessibles à ceux qui ont des revenus plus faibles, car ces « déductions » s'achètent souvent (REER, REA, etc.). Si les déductions de base étaient justes, nous n'aurions pas besoin de toutes ces déductions supplémentaires. La question du but de ces dépenses fiscales est importante. Il a été démontré que les régimes d'épargne-actions coûtent très cher pour très peu de retombées positives. Il a aussi été dit que les REER profitent bien plus à ceux qui ont les moyens d'y investir massivement et qui ont déjà des fonds de pension qu'à ceux qui n'en ont pas et à qui le programme prétend s'adresser.

TAB. 9.5 – Profil des contribuables québécois en fonction des déductions demandées

Tranche du revenu total	Nombre	Déductions	Contribuables
Moins de 20 000 $	2 781 000	16,7 %	50,5 %
20 000 $ à 29 999 $	880 000	9,3 %	16,0 %
30 000 $ à 49 999 $	1 089 000	22,2 %	19,8 %
50 000 $ à 99 999 $	654 000	32,4 %	11,8 %
100 000 $ et plus	104 000	19,4 %	1,9 %
Total	5 504 000	100 %	100 %

Source : Gouvernement du Québec, *Statistiques fiscales des particuliers, année d'imposition 2000,* p. 10.

Enfin, on peut aussi considérer la source des revenus.

TAB. 9.6 – Profil des contribuables québécois selon le types de revenus

Type de revenus	Montant total (en milliers de $)	%
Emploi	102 882	67,4
Assurance-emploi	2 802	1,8
Entreprise et profession	7 382	4,8
Prestations sociales	5 026	3,3
Autres revenus de placements	7 496	4,9
Gains en capital imposables	2 941	1,9
Retraite	19 754	12,9
Autres	4 298	2,8

Source : Gouvernement du Québec, *Statistiques fiscales des particuliers, année d'imposition 2000,* p. 12.

Comme on le voit, les revenus d'entreprise et de profession sont inférieurs à la somme de l'assurance-emploi et des prestations sociales. Cela peut être dû à la proportion de ces revenus qui sont déclarés. Nous y reviendrons plus loin.

Regardons maintenant quel type de revenu est le plus commun pour chacune des classes de contribuables définies selon les intervalles de revenus :

Tab. 9.7 – Provenance des revenus selon les catégories de revenus (en millions $)

Revenus	0 à 19 999	20 000 à 29 999	30 000 à 49 999	50 000 à 99 999	100 000 et plus	Total
Emploi	11 260	14 517	31 868	34 656	10 581	102 882
Entreprise et profession	1 200	735	963	1 293	3 190	7 382
Gains en capital imposables	159	135	301	575	1 772	2 941
Assurance-emploi	1 144	830	683	139	6	2 802
Prestations sociales	4 154	417	342	95	18	5 026
Régimes de retraite	6 593	3 849	5 517	2 878	917	19 754
Autres	936	507	807	976	1 071	4 298
Total	26 624	21 878	41 959	42 399	19 721	152 582

Source : Adapté de Gouvernement du Québec, *Statistiques fiscales des particuliers, année d'imposition 2000,* pages diverses.

Commençons par dire que les revenus d'entreprises n'incluent pas les revenus tirés des grandes entreprises ou de toutes les entreprises incorporées. Ce sont les revenus des petites entreprises dont la forme juridique n'est pas une compagnie ou les revenus des professionnels qui n'ont pas le droit d'être incorporés pour les activités liées directement à l'exercice de leur profession. Cette interdiction a pour but de conserver leur responsabilité personnelle face aux actes professionnels qui leurs sont réservés par la loi. De nos jours, ce sont encore les compagnies d'assurance qui tirent les marrons du feu, en assurant les risques professionnels pour des primes qui atteignent maintenant des sommets.

Les revenus des petites entreprises sont constitués de deux types de revenus : ceux des nouvelles entreprises créées pour échapper à la misère mais qui ne permettent pas aux gens d'y arriver, et ceux d'entreprises profitables, qui ne sont pas déclarés.

Nous allons tous dans ces petits restaurants où la caisse est constamment ouverte à l'heure où tout le monde paye en même temps et où rien n'est poinçonné. Non seulement ils volent l'impôt, mais ils volent également au client la taxe de vente, puisqu'ils ne la rembourseront pas. Ces restaurants détournent des revenus importants. Sans parler des dépanneurs qui nourrissent des familles entières à même les dépenses de l'entreprise. Bref, une part substantielle des petits revenus est constituée de revenus d'entreprises dont le taux de déclaration varie ; mais souvenons-nous que les statistiques fiscales ne rapportent que ce qui est déclaré.

Les revenus des grandes entreprises se retrouvent de trois façons dans les déclarations des individus. Pour les actionnaires, ce sont des dividendes, vraisemblablement intégrés dans la catégorie des autres revenus. Il y a aussi des salaires, qui peuvent être relativement importants et, enfin, les opérations sur les options, potentiellement très rentables. Par très rentables, nous entendons qu'un directeur-général peut gagner plusieurs millions par année avec les opérations sur ses options (aux États-Unis, on pourrait avancer plusieurs dizaines de millions, souvent même au-delà de la centaine). Ces revenus sont taxés comme gains en capital. Le fait que les gains de capital soient moins fortement taxés que les revenus d'emploi illustre bien la société dans laquelle nous vivons. Les travailleurs doivent payer leur part complète, alors que ceux qui vivent du travail des autres peuvent payer moins. Ce devrait pourtant être le contraire : ceux qui vivent du travail des autres, s'ils devaient recevoir un traitement particulier, devraient payer davantage.

On voit que 18 millions de dollars en prestations sociales ont été versés à des gens qui déclarent 100 000 $ et plus de revenus. S'il s'agissait d'assurance-emploi, on pourrait comprendre que quelqu'un puisse perdre un emploi rémunérateur tard dans l'année et recevoir ses prestations, qu'il remboursera avec son impôt. Mais des prestations sociales, c'est plus étonnant. Il faut croire que les boubou-macoutes ne sont pas aussi efficaces dans toutes les classes de la société.

9.2. Les dépenses fiscales

Les dépenses fiscales comprennent tous les programmes que les gouvernements mettent sur pied afin de réduire les impôts. La plupart du temps, ces programmes sont des incitatifs pour les contribuables à faire certains gestes. En plus des régimes de pension personnels – l'État avouant ainsi qu'il ne suffit pas à la tâche –, on trouve des programmes encourageant les investissements dans les nouvelles entreprises, dans l'exploration pétrolière, dans tous les types d'exploration minière, etc.

En général, on finit par se rendre compte que ces programmes coûtent plus cher au gouvernement que s'il avait fait l'investissement lui-même, en plus de provoquer des comportements douteux de la part des bénéficiaires. Il a été, entre autres, démontré que les compagnies d'exploration pétrolière avaient gaspillé des sommes considérables parce que personne ne les surveillait, le gouvernement ayant remis 150 % de leur investissement à ceux qui avaient fait des mises de fonds. Ayant déjà reçu leur rendement, les contribuables ne se sont jamais intéressés aux compagnies dans lesquelles ils avaient mis leur argent, ce qui a permis aux administrateurs de le dilapider allègrement.

On peut en conclure que moins il y aura de programmes « tordus » pour permettre aux plus riches de diminuer leur revenu imposable, plus il sera possible d'établir un véritable impôt progressif qui respecte tous les citoyens et établit clairement ce que chacun aura à payer. De plus, il vaudrait mieux séparer clairement l'impôt et l'encouragement à investir dans certains secteurs stratégiques. D'un côté, on instaurerait un régime fiscal simple et juste et, de l'autre, on engagerait des sommes provenant de ces impôts pour le développement régional ou pour encourager l'exploration pétrolière si on le juge à propos. Le contraire ne peut que semer la confusion et faire disparaître, derrière un pseudo engagement privé, la mise de fonds publique dans des activités qui n'en ont pas besoin ou que l'État ne devrait pas encourager (comme l'exploration gazière, par exemple).

9.3. Taux effectifs et taux virtuels

Penchons-nous sur les impôts effectivement payés de même que sur les taux d'impôts réels de chaque classe de contribuables.

Tab. 9.8 – Impôts payés et taux effectifs selon les classes de revenus (en millions $)

Classes (en $)	Revenu total	Impôt à payer	Taux effectif (%)
Moins de 19 999	26 624	584	2,2
20 000 à 29 999	21 878	1 710	7,8
30 000 à 49 999	41 959	4 899	11,7
50 000 à 99 999	42 399	6 258	14,8
100 000 et plus	19 721	3 532	17,9
Total	152 582	16 982	11,1

On voit bien que les taux théoriques marginaux de 29 %, si l'on compte le Québec seulement (sans le fédéral) et les taux moyens de 25 % ne s'appliquent pas souvent. De plus, ces taux s'appliquent au revenu imposable. Or ce revenu peut être beaucoup plus bas que le revenu total, à l'aide de quelques aptitudes en calcul et de bons abris fiscaux.

Si nous prenons la déclaration de revenus de 2003, la dernière en date, la grille de calcul de l'impôt est ainsi faite :

Tab. 9.9 – Grille de calcul (401) – impôt sur le revenu imposable

	A	B	C
2 Revenu imposable			
3 Moins	0	27 095	54 195
4 Ligne 2 moins ligne 3			
5 Taux applicable sur le montant de la ligne 4	16 %	20 %	24 %
6 Résultat du calcul précédent			
7 Impôt de base sur le montant en 3	0	4 335	9 755
8 Impôt total			

Source : Déclaration de revenus du Québec, 2003.

Pour la catégorie des revenus les plus bas, c'est-à-dire à partir du premier dollar de revenus imposables, on paie 16 %. Les tables à taux multiples des anciennes formules de déclaration d'impôt ont été remplacées par la grille de calcul n'indiquant que trois taux, signe que la progressivité de notre régime fiscal s'amenuise. Si votre revenu imposable (après toutes les déductions mais avant votre crédit contenant vos déductions de base, etc.) atteint 27 095 $, vous payez un montant de base de 4 335 $, qui correspond à 16 %. Le 27 096ᵉ dollar sera, quant à lui, taxé au taux de 20 %. Mais vous êtes tout de même avantagé, car vos crédits d'impôt non remboursables, y compris votre montant de base de 6 150 $, sont déduits au taux de 20 %. Vous gagnez donc 4 % par rapport à l'ancienne façon de calculer.

Cela étant dit, si votre revenu imposable atteint les 54 195 $, vous êtes également avantagé, puisque vous payez 9 755 $ d'impôt de base, ce qui équivaut à un taux de 17,9 %, alors que vos déductions sont aussi calculées à 20 %. Votre 54 196ᵉ dollar sera alors imposé au plus haut taux possible, soit 24 %. Mais en examinant le tableau 9.8, on voit que, en moyenne, l'impôt réellement payé dans ces catégories de revenus dépasse rarement le taux de 17,9 %.

Bref, les contribuables qui gagnent les revenus bruts les plus élevés ne paient en moyenne que 17,9 % d'impôt. C'est une mesure agrégée de l'ensemble des avantages fiscaux qu'utilisent ces contribuables. Une analyse plus raffinée s'impose, mais nous voyons que si ces 25 % à 30 % d'impôt théorique ne sont plus atteints par l'impôt réel, ce n'est pas uniquement à cause des déductions pour personnes à charge, qui ne sont d'ailleurs pas suffisantes. Les abris fiscaux ont aussi une responsabilité importante dans cet état de fait.

Il y a proportionnellement de moins en moins de contribuables pour payer les impôts. En vingt ans, la proportion de contribuables faisant une déclaration mais qui sont non imposables a monté en flèche. En 1980, 24 % des contribuables ne payaient pas d'impôts, ce qui faisait retomber le fardeau fiscal des particuliers sur 76 % des contribuables. En 2000, le pourcentage des non-imposables est passé à 39 %, laissant aux 61 %

qui restent le soin de financer les dépenses publiques. Le fardeau de ces 61 % ne peut qu'être plus lourd, compte tenu de l'augmentation des dépenses de l'État. Alors que le nombre total de contribuables a augmenté de 60 % durant la période de 1980 à 2000, le nombre de ceux qui paient des impôts n'a augmenté que de 29 %. En revanche, les dépenses se sont accrues en fonction de la population totale, qui suit le nombre total de contribuables.

Entre 1980 et 2000, la proportion du revenu imposable est passée de 55 % à 91 %. Mais cette augmentation n'a pas généré beaucoup plus d'impôts. On payait 10,5 % en 1980, on paye 11,2 % du revenu total en 2000. Mais les taux payés sur le revenu imposable ont diminué sensiblement, passant de 18,9 % à 12,3 %.

Cette augmentation de la proportion de revenus imposables touche les classes aux revenus les plus faibles, pour qui des diminutions des déductions de base ont un effet important. Par exemple, la transformation de déductions en crédits d'impôt non remboursables [1] a créé, pendant longtemps, une hausse d'impôts dès que le taux d'imposition dépassait les 17 %, car les crédits étaient bloqués à ce taux (ils viennent de passer à 20 %). Par contre, la différence est proportionnellement plus faible pour les contribuables à revenus élevés, car ces crédits ne représentent qu'une faible part des sommes qui viennent diminuer leurs impôts. Les crédits de base ne constituent pas le principal moyen de diminuer les impôts à payer ni d'augmenter les crédits remboursables.

Si l'on compare les impôts effectivement payés par les contribuables de toutes les catégories de revenus en 1980 et en 2000, on voit que les taux effectifs applicables aux plus gros revenus ont

1. Une déduction est l'inverse d'un revenu. Si vous avez un revenu de 100 000 $ sur votre déclaration d'impôt et que vous avez une déduction de 20 000 $, il reste 80 000 $ avec lesquels vous continuez les calculs. Si vous avez le même revenu de 100 000 $ avec un crédit de 17 % de 20 000 $, vous devez calculer l'impôt sur le 100 000 $, puis, de cet impôt, soustraire 17 % de 20 000 $. En effet, un crédit d'impôt est une diminution de l'impôt à payer une fois que le calcul de l'impôt a été effectué, alors qu'une déduction diminue le revenu avant de calculer l'impôt.

diminué. Il faut dire que la valeur de 100 000 $ n'est pas la même en 1980 ou en 2000.

TAB. 9.10 – Évolution des taux effectifs par classes de revenus de 1980 à 2000 (en millions $)

Classes	1980				2000			
	Nbre	Revenu total	Impôt	%	Nbre	Revenu total	Impôt	%
< 5 000	730 725	1 837	2	0,1	628 903	1 096	0,7	0,06
à 9 999	759 965	5 663	216	4	815 052	6 067	3	0,05
à 14 999	676 137	8 405	650	8	769 342	9 620	145	2
à 19 999	504 560	8 764	882	10	567 487	9 842	435	4
à 24 999	339 767	7 572	890	12	455 423	10 223	701	7
à 29 999	188 861	5 140	672	13	424 251	11 655	1 009	9
à 34 999	92 905	2 994	423	14	367 158	11 899	1 219	10
à 39 999	51 443	1 916	286	15	294 115	11 002	1 263	12
à 49 999	43 942	1 940	307	16	427 723	19 069	2 416	13
à 99 999	39 465	2 569	456	18	650 561	42 399	6 258	15
>100 000	6 568	999	210	21	104 006	19 721	3 352	17
Total	3 434 608	47 797	4 993	10,5	5 504 021	152 582	16 982	11,1

Nous disions plus haut que le taux moyen avait augmenté au cours des années (comme le montre la dernière ligne du tableau ci-dessus), passant de 10,5 % à 11,1 %. Mais si l'on observe bien, on voit que, pour chaque catégorie de revenus, les taux ont baissé. Cela s'explique par le fait que la structure des revenus a augmenté, ce qui est normal en 20 ans, faisant ainsi augmenter le volume de revenus imposés à un taux plus élevé.

Il faut tout de même remarquer aussi que les plus hauts revenus sont moins taxés qu'il y a 20 ans. Lorsqu'on dit que les impôts ne cessent d'augmenter, ce ne sont probablement pas de ceux-ci dont on veut parler...

Le revenu moyen et l'épargne ont également baissé entre 1990 et 1997 (tableau 9.11).

Les revenus diminuent aussi pour les portions les plus pauvres de la population (tableau 9.12).

Les groupes les plus pauvres s'appauvrissent davantage, alors que les plus riches voient leurs revenus augmenter. Cette période a tout de même été marquée par des courants inflationnistes très forts, ainsi que par des réductions importantes dans les pro-

TAB. 9.11 – Revenus familiaux, dépenses et épargnes (moyennes) au Canada 1990-1997

	Revenus personnels	Taxes personnelles	Dépenses de consommation	Épargne	Taux d'épargne
1990	22 941 $	5 107 $	15 450 $	1 934 $	11,1 %
1997	21 362 $	5 284 $	15 816 $	262 $	1,6 %
Variation	-1 129 $	+177 $	+366 $	-1 672 $	-9,5 %

Source : Lauzon *et al*, 2002, p. 23.

TAB. 9.12 – Moyenne des revenus de la famille avant les transferts gouvernementaux

Classes	1973	1984	1990	1996
Pauvre				
Décile 1	5 204	2 062	2 760	435
Décile 2	19 562	14 930	16 599	11 535
Moyenne				
Décile 5	40 343	42 495	46 477	42 829
Décile 6	46 136	49 664	54 561	51 494
Riche				
Décile 9	71 611	79 628	88 426	86 497
Décile 10	107 253	123 752	134 539	136 737

Source : Lauzon *et al.*, 2002, p. 34.

grammes sociaux. La marge de manœuvre des pauvres, s'ils en avaient une, a fondu comme neige au soleil.

Comme nous le disions plus haut, les taux ont changé de façon draconienne. L'échelle a été réduite et le taux maximal a diminué. La situation avant 1988 se présentait comme le montre le tableau 9.13.

Des 16 paliers que l'on trouvait avant 1988, nous sommes passés à cinq, puis à trois (tableau 9.14). En conséquence, les taux applicables aux revenus les plus bas ont augmenté (de 13 % à 16 %, puis à 20 %, soit une augmentation de près de 50 %), pendant que les taux applicables aux plus hauts revenus diminuaient légèrement (de 28 % à 26 %).

Ainsi, la progressivité des taux d'imposition est devenue un

Tab. 9.13 – État de l'imposition avant la réforme de 1988 de la fiscalité du Québec

Tranches de revenu imposable		Taux
De ($)	À ($)	
0	577	13
578	1 244	14
1 245	2 015	15
2 016	2 906	16
2 907	3 936	17
3 937	5 127	18
5 128	6 504	19
6 505	8 095	20
8 096	9 935	21
9 936	12 061	22
12 062	14 519	23
14 520	18 820	24
18 821	26 347	25
26 348	39 169	26
39 170	61 608	27
61 609	et plus	28

Source : Lauzon *et al.*, 2002, p. 39.

mythe et le taux uniforme que propose l'Action démocratique du Québec (ADQ) est presque réalisé.

Évidemment, ces transformations se sont opérées sous le couvert de la simplification, ce qui relève de la pure démagogie. Les tables d'impôt ne posaient pas de problème d'utilisation et tous s'y retrouvaient aussi bien, sinon mieux, que dans les multiples annexes actuelles. Par contre, toutes les déductions possibles compliquaient largement les choses. Si l'on voulait réellement simplifier, n'aurait-il pas mieux valu, par exemple, instaurer la gratuité scolaire que mettre en branle une série de déductions pour les frais de scolarité, les frais d'examen, etc. ? Il en va de même de plusieurs séries de déductions qui sont les résultantes fiscales de mesures irresponsables prises ailleurs dans le système. Simplifier la fiscalité de façon juste commencerait par une simplification de tout le reste de l'administration, par une refondation de l'État social.

TAB. 9.14 – Réformes de la fiscalité du Québec de 1988 et de 1998

Tranches de revenu imposable	De ($)	À ($)	Taux d'imposition (%)
Réforme de 1988	-	7 000	16
	7 001	14 000	19
	14 001	23 000	21
	23 001	50 000	23
	50 001	et plus	24
Réforme de 1998	-	23 000	20
	23 001	50 000	23
	50 001	et plus	26

Source : Lauzon *et al.*, 2002, p. 40.

D'autant plus que le fait d'augmenter les frais de scolarité, par exemple, pour ensuite accorder une déduction ou un crédit fiscal, constitue de la progressivité à l'envers ; c'est encore une autre façon de faire payer les pauvres. Les frais de scolarité sont payables par tous, même les pauvres, mais pour jouir de la déduction ou du crédit, il faut avoir des revenus suffisants. En augmentant les frais compensés par une déduction, on pénalise ainsi les pauvres, mais pas les riches. Il est grandement temps d'instaurer un régime plus direct, plus franc et plus équitable.

Chapitre 10

La déclaration d'impôts du québec

DANS CETTE section, nous voulons examiner toutes les rubriques de la déclaration d'impôt agrégée des contribuables du Québec. Les montants qui y apparaissent sont donc la somme des montants déclarés pour chacune des rubriques particulières par tous les contribuables.

TAB. 10.1 – La déclaration d'impôts du Québec

Rubrique	Nombre	Montant (milliers de dollars)
Revenus d'emploi	3 657 861	102 460 511
Dépenses et déductions reliées à l'emploi	130 900	452 718
Revenus nets d'emploi	3 660 757	102 007 793
Correction des revenus d'emploi	104 727	1 375
Autres revenus d'emploi	250 189	872 454
Prestations d'assurance-emploi	687 300	2 802 271
Pension de sécurité de vieillesse	915 714	4 420 365
Sommes reçues du RRQ et du RPC	1 113 961	5 563 398
Prestations d'un régime de retraite, REER, FEER	736 850	9 770 014
Dividendes imposables de soc. Can.	1 249 441	3 630 548
Intérêts de source canadienne et autres revenus de placements	1 714 690	3 835 326
Revenus nets, location biens immeubles	354 393	697 288
Gains en capital imposables	472 707	2 941 392
Pension alimentaire reçue	45 595	307 666
Aide financière de dernier recours	514 069	2 208 958
Indemnités remplaçant les revenus, versements supplémentaires fédéraux	711 957	2 817 391
Autres revenus	742 495	3 293 219
Revenus nets d'affaires	306 582	2 659 064

suite page suivante

Rubrique	Nombre	Montant (milliers de dollars)
Revenus nets d'agriculture et de pêche	48 064	406 591
Revenus nets de profession	84 080	3 596 057
Revenus nets de travail à commission	33 726	513 460
Revenus d'une société alloués à un associé retiré	327	6 448
Revenus d'une société d'associés	17 655	24 055
Prov. 1999/ rev. d'entr. ou prof.	39 025	1 024 763
Prov. 2000/ rev. d'entr. ou prof.	36 795	818 243
Prov. 1999 moins 2000	38 170	206 520
Revenus d'entreprise	478 480	7 412 195
Revenu total	5 504 021	152 581 653
Cotisation à un RPA	1 124 572	1 665 354
Versements à un REER	1 517 319	5 907 619
Montant déductible pour établir le revenu familial net	456 885	1 060 682
Montant servant à établir le revenu familial net	5 348 367	144 069 534
Pension alimentaire déductible	49 000	334 080
Frais de déménagement	7 948	27 131
Dépenses pour revenus de placements	147 677	404 525
Pertes, placements dans une entreprise	3 517	72 886
Déduction relative à certains films	41	164
Déduction relative aux ressources	2 663	18 933
Autres déductions	23 547	66 561
Déductions – calcul du revenu net	2 344 164	9 557 034
Revenu net	5 347 485	143 172 174
Rajustement de déductions pour aide financière de dernier recours	29 299	22 875
Arrérages de pension alimentaire	178	682
Déductions pour investissements stratégiques	23 173	140 258
Pertes d'autres années – autres qu'en capital	6 844	76 319
Pertes nettes en capital d'autres années	29 888	129 563
Exemption sur gains en capital imposables	8 975	663 540
Déduction pour un indien	16 023	274 481
Déduction pour résidents d'une région éloignée	15 553	57 412
Déduction de certaines prestations	712 109	2 819 661
Déductions diverses	59 208	1 007 582
Déductions – calcul du revenu imposable	857 964	5 168 812
Revenu imposable	5 322 240	138 049 338
Montant de base	5 504 021	32 393 041
Montant forfaitaire	4 418 303	11 112 032

suite page suivante

Rubrique	Nombre	Montant (milliers de dollars)
Montant en raison de l'âge, pour personne vivant seule ou pour revenus de retraite	1 271 490	2 699 821
Montant pour conjoint	41 875	180 337
Montant pour enfants à charge ou autres personnes	984 070	4 303 439
Cotisations au RRQ et au RPC	946 138	1 103 861
Cotisations à l'assurance-emploi	869 939	708 909
Cotisations au FSS	222 891	58 651
Cotisations syndicales et professionnelles	674 244	469 080
Montant pour déficience mentale ou physique	75 280	165 473
Montant pour un membre d'un ordre religieux	1 960	7 762
Frais soins médicaux non dispensés dans votre région	1 388	2 568
Montant pour frais médicaux	230 829	553 150
Montant pour frais de scolarité ou d'examen	158 876	278 663
Montant pour intérêts payés sur prêt étudiant	78 761	65 507
Montant pour déficience mentale ou physique transféré par le conjoint	2 406	4 600
Montant pour déficience mentale ou physique transféré par pers. à charge autre que conjoint	21 429	47 472
Dons de bienfaisance, dons au gouvernement et autres dons	1 236 030	649 257
Total des montants accordés	5 504 021	54 803 623
Total des crédits d'impôts non remboursables	5 504 021	12 056 975
Impôt sur le revenu imposable	5 322 240	28 265 328
Crédit d'impôt contribution à des partis politiques	40 136	3 468
Crédit d'impôt pour dividendes	428 501	335 806
Réduction d'impôt à l'égard de la famille	562 590	514 369
Crédit d'impôt relatif à un fonds de travailleurs	292 254	114 637
Impôt à payer	3 381 740	16 981 788
Versements anticipés du crédit maintien à domicile	9 005	2 369
Versements anticipés du crédit pour frais de garde	2 705	1 883
Cotisation au RRQ pour un travail autonome	292 598	285 129
Cotisations au FSS	932 576	137 449

suite page suivante

Rubrique	Nombre	Montant (milliers de dollars)
Cotisations au régime d'assurance médicaments	1 478 542	315 851
Impôt et cotisations à payer	3 961 674	17 724 467
Impôt du Québec retenu à la source	3 715 770	15 869 735
Cotisations payées en trop, RRQ et RPC	1 821 965	104 346
Impôts payés par acomptes provisionnels	346 467	2 003 024
Impôt retenu pour une autre province	68 500	241 981
Crédit d'impôt pour les frais de garde d'enfant	358 174	213 127
Remboursement TVQ salariés et sociétés	126 640	16 266
Remboursement d'impôts fonciers	1 019 115	220 646
Autres crédits	126 390	45 156
Impôt payé et autres crédits	4 445 087	18 714 279
Solde dû	1 507 178	1 926 969
Somme jointe	758 381	1 054 163
Remboursement	3 249 771	-2 916 781

Presque tout l'impôt est payé par retenues à la source et pourtant, seulement 3,7 millions de contribuables sur un total de 5,5 millions déclarent un revenu d'emploi assujetti à de telles déductions. Les 1,8 million qui restent ne paient qu'une portion infime de l'impôt total.

Le total dû par l'ensemble des contribuables est de 17,7 milliards de dollars, dont 15,9 milliards sont déjà prélevés par les retenues à la source. Si on ajoute les acomptes provisionnels, on se rend compte que l'État encaisse, au total, 1 milliard de dollars de plus que ce qui lui est dû. À la fin de l'exercice fiscal, le gouvernement doit donc, en gros, 1 milliard de dollars aux Québécois. Il a eu ce milliard dans ses coffres pendant au moins 4 mois (de janvier à avril), à des taux d'intérêts minimes, sans qu'il n'y paraisse. Mais la lenteur des remboursements fait que ces sommes se régénèrent [1] à mesure et que le gouvernement doit bénéficier, bon an mal an, d'entre 500 et 750 millions de dollars d'impôts payés en trop par les Québécois.

Les Québécois paient 453 millions de dollars pour le Fonds

1. Les déductions à la source se font d'une manière continue. Les rentrées de la nouvelle année commencent au début de janvier, alors que les remboursements de l'année précédente ne seront faits qu'en mai ou juin.

des services de santé et les médicaments, ce qui constitue un autre glissement vers la régressivité et une autre entrave à la simplification fiscale. Cette somme peut paraître sans importance, mais elle constitue 2,5 % du total des impôts payés par les particuliers. Pendant que plusieurs personnes ayant de la difficulté à boucler leur budget doivent payer ce presque demi-milliard de dollars, on accorde aux moins pauvres plus de 335 millions de dollars en crédit d'impôts pour dividendes.

Le financement des partis politiques concerne 40 136 personnes (ce qui n'est pas beaucoup, puisque presque tous les 5,5 millions de contribuables ont le droit de vote). De plus, si on considère aussi la façon dont les compagnies contournent la loi en faisant contribuer tous les membres des familles des dirigeants pour le maximum permis, force est de constater que la proportion des Québécois qui financent réellement et directement les partis politiques demeure marginale : on parle de moins de 1 %. De plus, le coût pour l'État est très important, comme nous l'avons montré au début, sans pour autant améliorer le processus démocratique.

À ce compte, le gouvernement ferait mieux de financer directement les partis politiques. Avec une réforme du mode de scrutin, il deviendra plus important de ne pas concentrer le financement sur les quelques partis qui ont beaucoup de sièges. Cependant, nous devrons trouver un moyen pour empêcher que les partis ne se mettent à proliférer simplement pour le financement, sans jamais rien faire. Nous pouvons déjà facilement imaginer divers moyens de pallier ce problème : minimum de membres, minimum de candidats à une élection, etc. Ces critères sont déjà en partie utilisés.

Les dons de bienfaisance et dons au gouvernement constituent un autre problème. Selon les données, 1 236 030 Québécois réclament 649 257 000 $ pour des dons effectués durant l'année. En gros, les gouvernements en remboursent la moitié. Cela veut dire que l'État laisse aux particuliers le soin de décider ce qui mérite d'être financé. Si les revenus étaient équitablement répartis, cette façon de faire pourrait se défendre, mais dans une situation où les revenus sont très inégalement répartis, le gouvernement laisse ainsi aux mieux nantis le privilège de distinguer entre ce qui doit être soutenu et ce qui ne le mérite pas. Même avec la meilleure volonté du monde, les individus ne peuvent pas soutenir spontanément les organismes nécessaires à la collectivité, surtout dans une société qui s'en remet de plus en plus à des organismes caritatifs pour fournir des services essentiels à une partie de la population que, justement, les riches ne voient pas souvent. On peut ainsi s'attendre à ce que les organismes qui répondent aux besoins des riches soient les mieux financés, d'abord par les dons de ces derniers, et ensuite par les crédits d'impôts qui les accompagnent. Le problème est que ce sont les pauvres qui ont le plus besoin d'être soutenus. Nous voyons là un des effets pervers importants des politiques néolibérales. Elles ont tendance à confiner la solidarité à l'intérieur de petits groupes homogènes : les riches s'aident entre eux, ce qui leur est plutôt aisé, et les pauvres font de même, mais avec des moyens très limités... Les organismes s'occupant des pauvres reçoivent ainsi un financement autonome très réduit et dépendent totalement des subventions. Bien sûr, l'État a beau jeu de les faire marcher à son pas, en leur imposant des contrats de service qui redéfinissent en douce leur mission et les transforme, à rabais, en annexes des ministères.

Parmi les dons aux gouvernements, on trouve aussi toute une série d'escroqueries qui servent aux riches. Par exemple, il est de notoriété publique que les musées sont remplis de faux. Ces faux ont été transmis par des dons déductibles d'impôts. La méthode est connue : on fait faire un faux [2] d'un grand peintre pour quelques dizaines de milliers de dollars, on paie un expert encore quelques dizaines de milliers pour l'authentifier et on le donne au gouvernement québécois pour une valeur de quelques millions, dont la moitié est remboursable. L'ineptie de telles politiques ne peut que couvrir des collusions douteuses pour vider les

2. Un faux n'est pas nécessairement une copie. C'est, la plupart du temps, une nouvelle œuvre à la manière du maître. Cette œuvre peut faire montre d'une maîtrise extraordinaire de l'art pictural. Quand vous entendez que l'on vient de découvrir un Van Gogh jusqu'ici inconnu, méfiez-vous...

coffres de l'État. Mais même si les œuvres étaient authentiques, pouvons-nous laisser nos politiques muséales au hasard des coups de cœur de quelques millionnaires ?

Le Québec consent une déduction de 275 millions de dollars pour les Amérindiens, qui ne paient déjà pas de taxes de vente. Cette somme correspond en gros à plus de 13 000 $ par bénéficiaire. Ces montants s'ajoutent à toutes les sommes dévolues aux autochtones dans plusieurs ministères. Pourtant, ceux que nous rencontrons ne semblent pas vivre particulièrement richement ; leur situation – pauvreté, chômage, alcoolisme et toxicomanie – ne colle tout simplement pas avec les sommes versées. Il faudra bien qu'un jour, quelqu'un ose demander où sont allés les milliards qui ont été versés aux communautés autochtones par Hydro-Québec et par le gouvernement, de même que les sommes qui continuent d'être versées chaque année.

Les maigres dépenses qui étaient jadis reconnues pour gagner le revenu d'emploi ont disparu depuis longtemps (on reconnaissait un montant forfaitaire, peu élevé, qui couvrait une partie des déplacements, les vêtements, etc.). Cependant, on reconnaît 404 millions de dollars de dépenses pour gagner des revenus de placements, qui sont souvent imposés à taux réduit. La situation est de plus en plus en faveur des revenus du capital, alors que les revenus d'emploi sont de plus en plus taxés directement (en enlevant les déductions) ou indirectement, en ajoutant des taxes sur les produits et en imposant des tarifs pour les services publics.

Les versements à des REER atteignent les 6 milliards de dollars. À ce chapitre, on peut évaluer la dépense fiscale pour le gouvernement à environ 1,5 milliard, ce qui avoisine les 3 % du budget total de l'État. Curieusement, cette dépense n'est jamais remise en question.

10.1. L'impôt et les tranches de revenus

Une certaine proportion des Québécois déclare des revenus annuels inférieurs à 10 000 $. Leur nombre atteint presque le million et demi, soit un peu moins de 30 % de tous les contribuables. Même si certains de ces contribuables font de fausses déclarations, il n'en demeure pas moins que le phénomène, dans son ensemble, est important. Parmi eux, 125 000 reçoivent des pensions de sécurité de la vieillesse. Voilà une autre preuve qu'il y a encore du travail à faire pour sortir nos personnes âgées de la misère. De ces 125 000 personnes, 403 déclarent des revenus totaux de pension équivalant à 377 $ par mois. Il s'agit possiblement de personnes dont le seul revenu est le supplément, c'est-à-dire la pension que reçoit le conjoint qui n'a pas encore atteint l'âge de la pleine pension, ce que les personnes âgées appellent souvent la « petite pension ». Une telle mesure maintient ces personnes dans un état de dépendance économique – dans lequel elles ont probablement vécu toute leur vie, d'ailleurs (comme conjoint à la maison, par exemple). Dans une société évoluée et riche comme la nôtre, personne ne devrait déclarer des revenus inférieurs à 5 000 $ ou même à 10 000 $, comme c'est le cas actuellement.

Dans la catégorie de ceux qui gagnent un revenu inférieur à 10 000 $ se trouvent aussi au-delà de 100 000 contribuables qui déclarent des revenus d'entreprise. Dans les faits, ces gens vivent souvent très confortablement avec des revenus déclarés ridicules. Il y a déjà quelques années, Léo-Paul Lauzon estimait à plus de 100 milliards les dépenses personnelles passées dans les comptes d'entreprise. Plusieurs personnes n'apportent manifestement pas leur contribution à la société, mais sont trop contentes d'en retirer les bénéfices le moment venu.

Parmi les 815 052 personnes qui déclarent des revenus totaux variant entre 5 000 $ et 10 000 $ – dont 317 682 déclarent une aide de dernier recours –, 15 860 ont réussi à placer dans des REER une somme moyenne approchant 1 000 $ chacun. Ce ne sont probablement pas des bénéficiaires de l'aide de dernier recours, mais des gens qui sont soutenus, entre autres, par leur conjoint. Les gens qui déclarent moins de 10 000 $ de revenus ne vivent pas tous pauvrement, mais ils sont tous, d'une façon ou d'une autre, économiquement dépendants.

Malgré tout, ces personnes contribuent au financement de l'État. Au cours de la dernière année, ces contribuables ont envoyé 219 millions de dollars à l'État en déductions à la source et en prélèvements divers. À la fin de l'année, l'État doit leur en rembourser 206 millions. Ainsi, pendant une bonne partie de l'année, les plus démunis de la société contribuent à remplir les coffres du gouvernement.

Dans la catégorie des revenus situés entre 10 000 $ et 15 000 $ se retrouve le plus important contingent de bénéficiaires des pensions de sécurité de la vieillesse : 318 032 personnes. Leur nombre décroît rapidement dans les catégories supérieures. On passe à 161 424 personnes pour un revenu variant entre 15 000 $ et 20 000 $, puis à 86 029 pour un revenu entre 20 000 $ et 25 000 $, et très peu d'entre eux dépassent les 30 000 $. En gros, la moitié des personnes âgées (442 831) déclare moins de 15 000 $, alors que l'autre moitié (469 581) déclare un revenu total entre 15 001 $ et 20 000 $. Évidemment, la proportion déclarant des revenus élevés est très faible.

La moitié des contribuables québécois déclare des revenus totaux (revenus bruts) inférieurs à 20 000 $. N'oublions pas que le ministère fédéral des Ressources humaines a établi le montant nécessaire à une vie décente à environ 19 000 $ par personne. Or, sur les 2 780 784 Québécois déclarant des revenus inférieurs à 20 000 $, on peut estimer à 100 000, par interpolation, le nombre de ceux qui se situent entre 19 000 $ et 20 000 $. Les autres ne gagnent pas suffisamment pour avoir une vie décente sans une aide supplémentaire de l'État. Les contribuables qui déclarent des revenus entre 10 000 $ et 15 000 $ paient tout de même des impôts, que ce soit directement ou indirectement (taxe de vente, par exemple).

Presque 80 % des contribuables déclarent un revenu total inférieur à 40 000 $. Voyons quelques-unes des caractéristiques fiscales des différentes tranches de revenus.

TAB. 10.2 – Certaines caractéristiques fiscales en fonction des revenus totaux (en milliers de dollars)

Revenu total	De 0 à 14 999	De 15 000 à 29 999	De 30 000 à 44 999	De 45 000 à 59 999	Plus de 60 000
Revenu total	16 782 685	31 719 510	33 091 856	24 049 540	46 938 063
% du total	11%	21%	21%	16%	31%
REER	94 073	746 434	1 367 789	1 228 472	2 470 851
% du total	2%	13%	22%	21%	42%
Impôts et cotisations	248 972	2 416 676	3 886 539	3 321 730	7 850 550
% effectif	1,5%	7,6%	11,8%	13,8%	16,7%
Nombre	2 213 297	1 447 161	901 897	464 574	477 094
% du total	40%	26%	17%	8%	9%
Revenu unitaire moyen net	7 470	20 248	32 382	44 617	81 928

Source : Adapté de ministère des Finances de l'Économie et de la Recherche, 2003, pages diverses.

La catégorie des contribuables gagnant plus de 60 000 $ demande une analyse plus détaillée.

Comme on le voit, la richesse est assez mal répartie au Québec, et la fiscalité ne corrige pas tellement la situation. Elle prend un petit peu plus aux riches, mais les taux effectifs demeurent très faibles, sans compter que plus on monte dans l'échelle des revenus, plus les manipulations (légales ou illégales) apparaissent, et plus une partie importante du revenu échappe à ces statistiques. Imaginons que nous prenions 1 milliard de dollars de plus à la catégorie des contribuables gagnant plus de 200 000 $. Il leur resterait tout de même 271 109 $ de revenu net moyen, ce qui n'est pas peu, et nous pourrions ainsi augmenter de 6,5 % le revenu des 2,2 millions les plus pauvres, et ce, d'un seul coup.

Imaginons maintenant que nous fassions cet exercice de façon un peu plus complète, comme le montre la ligne *ponction* dans le bas du tableau 10.3. Nous irions ainsi chercher 5 milliards de dollars au total, sans trop modifier les revenus individuels des mieux nantis. Par contre, nous pourrions augmenter de 30 % le revenu net des 2,2 millions les plus pauvres, ce qui constitue un changement considérable pour cette catégorie de ci-

TAB. 10.3 – Certaines caractéristiques fiscales en fonction des revenus totaux (en milliers de dollars)

Revenu total	De 60 000 à 69 999	De 70 000 à 99 999	De 100 000 à 199 999	200 000 et plus
Revenu total	11 836 496	15 380 150	10 536 562	9 184 855
% du total	7,7%	10,1%	6,9%	6,0%
REER	658 745	989 837	603 154	219 115
	11,2%	16,8%	10,2%	3,7%
Impôts et cotisations	1 767 625	2 457 690	1 856 714	1 768 521
% effectif	14,9%	16,0%	17,6%	19,3%
Nombre	183 654	189 434	80 339	23 667
% du total	3,3%	3,4%	1,5%	0,4%
Revenu total unitaire moyen	64 449	81 190	131 151	388 087
Revenu unitaire moyen net	54 825	68 216	108 040	313 361
Ponction	500 000	1 000 000	1 500 000	2 000 000
Revenu unitaire moyen net	52 102	62 937	89 369	228 856

Source : Adapté de ministère des Finances de l'Économie et de la Recherche, 2003, pages diverses.

toyens. Nous nous livrons ici à des analyses de sensibilité pour donner une idée des effets de quelques réaffections du revenu. Le lecteur peut s'amuser, sur cette base, à faire les siennes.

Malgré le fait que nos deux exemples soient très sommaires, ils illustrent précisément le but de la fiscalité. Même en ne considérant que les revenus des particuliers, nous avons sensiblement amélioré l'équilibre entre les revenus et aidé les moins bien nantis. Quand des gens comme Bernard Landry nous disent que ça ne sert à rien de taxer les plus riches car ils ne représentent que 9 % de la population, il oublie de nous dire (volontairement ou non) qu'ils possèdent 31 % des revenus déclarés, sans compter tous ceux qu'ils passent sous silence et toutes les déductions dont ils se sont prévalus afin d'en arriver à ce revenu.

Notons également que les déductions pour les REER sont concentrées chez les plus riches, alors qu'ils ont souvent les moyens de se constituer leur propre pension. De plus, lorsqu'ils seront à la retraite, ils n'auront vraisemblablement pas de baisses de revenus suffisamment importantes pour changer de taux d'imposition (puisqu'il n'y en a plus que trois). Le gouvernement gèle donc des sommes importantes pour un bénéfice bien aléatoire. En réalité, 66 % des contribuables prennent 15 % de la dépense, qui coûte proportionnellement moins que cela au gouvernement à cause de leur faible taux d'imposition. En effet, plus votre taux d'imposition est bas, moins il en coûte à l'État de vous donner une déduction. Le 34 % restant des contribuables prend 85 % de la dépense, avec des taux beaucoup plus onéreux pour le gouvernement, car ils ont des revenus élevés.

Rappelons simplement que tout le système des REER est basé sur les différences de taux d'imposition entre la vie active et la période de la retraite. Si on enlève les différences de taux, tout le système des REER n'a plus de raison d'être.

10.2. Les disparités régionales

Considérons maintenant les disparités régionales, qui sont très mal comprises au Québec. Depuis l'union-nationalisation du PQ, celui-ci s'est appuyé sur ce qu'on appelle aujourd'hui les régions-ressources pour consolider sa base. Ces régions, on l'a vu dans les congrès, sont généralement convaincues que Montréal a tout et qu'elles sont quant à elles grandement défavorisées.

La réalité est fort différente. Sur le plan démocratique, les régions jouissent d'un poids politique qui dépasse largement, en termes de représentation par habitant, tout ce qui peut exister autour de Montréal. Or la démocratie n'est-elle pas basée sur le principe que tous sont égaux ? Il y a 17 régions administratives au Québec. Dans la région de Montréal (définie comme la région de recensement), avec ses comtés de 45 000 électeurs, voire même parfois de plus de 50 000, deux votes sont nécessaires pour égaler un vote des régions.

En ce qui concerne les infrastructures, on constate le même phénomène. La moitié des habitants du Québec est loin de pouvoir profiter de la moitié des infrastructures autoroutières. Formidable, me direz-vous, nous aurons du transport en commun à la place. Mais les infrastructures de transport en commun ne sont pas mises en place, le transport routier n'est pas remplacé et l'autoroute métropolitaine menace de s'effondrer. Malgré cela, toutes les fois que l'idée folle de mettre des péages sur les routes revient, c'est à Montréal qu'on veut les installer. Bref, toute la question des disparités régionales est devenue une guerre de clochers étendue à l'échelle du Québec. Il peut être intéressant d'examiner de ce point de vue la situation fiscale.

TAB. 10.4 – Revenus totaux unitaires par région (pour les contribuables)

Région	Nombre	Revenu (en milliers de dollars)	% du total
Bas-St-Laurent	131 633	22 417	2,3 %
Saguenay–Lac-St-Jean	211 631	25 535	3,5 %
Québec	498 106	28 215	9,2 %
Mauricie	200 092	24 194	3,2 %
Estrie	217 965	25 326	3,6 %
Montréal	1 362 226	29 213	26,0 %
Outaouais	223 998	29 815	4,4 %
Abitibi-Témiscamingue	108 525	25 304	1,8 %
Côte-Nord	73 817	28 078	1,4 %
Nord-du-Québec	22 966	27 200	0,4 %
Gaspésie–Îles-de-la-Madeleine	76 948	20 689	1,0 %
Chaudière-Appalaches	294 542	24 881	4,8 %
Laval	257 938	29 730	5,0 %
Lanaudière	288 327	26 597	5,0 %
Laurentides	343 408	28 038	6,3 %
Montérégie	963 863	29 484	18,6 %
Centre-du-Québec	165 403	23 299	2,5 %
Indéterminé	38 533	31 035	0,7 %
Total	5 504 021	27 722	100 %

Source : Adapté de ministère des Finances de l'Économie et de la Recherche, 2003, pages diverses.

On voit que certaines disparités existent. Les revenus moyens de la Montérégie sont tout de même 1,42 fois ceux de la Gaspésie-Îles-de-la-Madeleine, ce qui est assez important.

Cependant, les chiffres agrégés pour Montréal, par exemple, cachent probablement des disparités plus fines. Nous possédons les chiffres pour les anciennes municipalités de plus de 20 000 habitants. Malgré le risque qu'elles occultent certaines réalités des quartiers de Montréal, voyons-les tout de même.

TAB. 10.5 – Revenu unitaire moyen dans les municipalités de la région administrative de Montréal

Ville	Nombre	Revenu
Anjou	30 262	28 754
Côte-St-Luc	22 901	39 900
Dollard-des-Ormaux	34 198	34 210
Lachine	26 913	28 108
Lasalle	56 166	26 092
Montréal	786 834	25 335
Montréal-Nord	62 404	20 826
Outremont	16 292	55 570
Pierrefonds	38 333	31 564
Pointe-Claire	20 698	40 806
St-Laurent	58 804	27 543
St-Léonard	55 770	23 993
Verdun	46 744	33 016
Westmount	14 599	92 157
Autres	91 308	50 143

Source : Adapté de ministère des Finances de l'Économie et de la Recherche, 2003, pages diverses.

Avec une différence de l'ordre de 443 %, les disparités à l'intérieur de l'ensemble montréalais sont bien plus importantes qu'entre les régions du Québec. Ces disparités constituent une raison claire pour régler le problème fiscal de la région de Montréal, que ce soit par des fusions ou autrement, et elles démontrent bien que les défusionnistes sont, étonnamment (?), les plus riches. Nous pouvons raffiner davantage notre information avec les circonscriptions électorales. Dans Hochelaga-Maisonneuve, le revenu moyen par contribuable tombe à 19 021 $, ce qui place ce quartier bien en deçà de Westmount et même bien en deçà de la moyenne montréalaise. Nous retrouverions probablement ce genre de disparités un peu partout si nous pouvions analyser les données de la même façon.

Ces quelques observations donnent une idée du travail qui reste à faire afin d'éradiquer la pauvreté qui se concentre dans certaines régions ou certains quartiers des grandes villes, que ce soit Montréal, Québec ou Gatineau.

Chapitre 11

La taxation implicite

LE SYSTÈME de taxation peut avoir des effets pervers. Il existe en effet un envers de la taxation : le revenu de transfert, constitué des prestations diverses que reçoivent ceux dont les revenus le justifient. Or, en approchant certains seuils, l'amalgame de la taxation avec les revenus de transferts peut créer des effets négatifs étonnants.

Prenons un exemple simple : un individu de moins de 65 ans vivant seul. Son revenu de travail passe de 5 000 $ à 10 000 $, mais il n'est pas vraiment plus riche qu'avant.

Le taux implicite de taxation du deuxième 5 000 $ de revenu de travail est de 85,7 %, puisqu'il fait perdre des revenus de transferts importants et ne produit qu'une très faible amélioration de la situation financière du contribuable. Cette amélioration n'est que de 713 $, sans tenir compte des dépenses supplémentaires qu'il lui faut engager pour doubler son revenu et qui ne sont pas prises en compte par la fiscalité. C'est à 9 300 $ de revenus que le changement se fait et que l'impôt payé devient supérieur aux montants reçus. Cependant, les montants reçus décroissent progressivement entre 5 000 $ et 9 300 $, ce qui, dans cette tranche, produit un impôt marginal implicite très élevé. Autrement dit, dans cette catégorie, chaque fois qu'une personne gagne un dollar supplémentaire en travaillant, elle le perd en revenu de transfert.

Si on exclut toute considération morale (même si les considérations morales sont habituellement réservées aux pauvres), il devient ridicule de faire passer son revenu d'emploi de 5 000 $

TAB. 11.1 – Taux implicite d'impôt – exemple pour deux niveaux de revenus

1. Revenu de travail	5 000	10 000
2. Gouvernement du Québec		
Impôt	0	0
Crédits socio-fiscaux	385	385
Transferts sociaux	3 652	0
Cotisations au RRQ	-53	-228
Sous-total	3 984	157
3. Gouvernement du Canada		
Impôt	0	-360
Crédits socio-fiscaux	243	270
Transferts sociaux	0	0
Cotisations à l'assurance-emploi	-128	-255
Sous-total	115	-345
4. Contribution nette (2+3)	4 099	-188
Revenu disponible	9 099	9 812

Source : Commission parlementaire sur la réduction des impôts des particuliers, 1999, p. 4.

à 10 000 $. D'ailleurs, les emplois qui le permettent sont souvent peu intéressants. Plutôt que de proposer aux gens de travailler sans que leur revenu augmente, il faudrait leur proposer un système plus incitatif. En effet, n'est-il pas douteux d'exiger des pauvres qu'ils travaillent simplement pour la vertu du travail, alors que l'on concède des avantages aux investisseurs qui eux, ont besoin d'incitatifs, puisqu'ils n'investissent que pour le profit. Les théories modernes de gestion (l'*agency theory*, notamment) imposent aux travailleurs des critères de moralité (*moral hazard*), alors qu'elles tolèrent que les actionnaires n'aient aucune morale et soient prêts à tout pour faire augmenter la valeur de leur investissement.

Ces critères de moralité découlent d'une approche judéo-chrétienne de la pauvreté qu'il est bien pratique de perpétuer :

> Ainsi s'établit un commerce entre le riche et le pauvre au bénéfice des deux parties : le premier fait son salut grâce à sa pratique charitable, mais le second est également sauvé s'il accepte sa condition. *Last but not least,* l'ordre inéga-

> litaire du monde est lui aussi sauvé dans cette économie, qui se révèle providentielle aussi en ce sens que, reconnaissant la pauvreté comme nécessaire, elle justifie son existence et n'a à prendre en charge que ses manifestations les plus extrêmes. La richesse chrétiennement vécue présente ainsi un double avantage sur la pauvreté : elle est un moyen de faire son salut dans l'autre monde, et elle est plus agréable à vivre ici-bas. [...] Cette économie du salut fonde en même temps une perception discriminatoire des pauvres qui méritent d'être pris en charge. Sont en premier lieu exclus ceux des malheureux qui se révolteraient contre cet ordre du monde voulu par Dieu. (Castel, 1995, p. 47-48.)

Ajoutons, avant de revenir à notre propos, que cette vision est bien pratique et réconfortante pour les mieux nantis, bien qu'elle soit difficilement justifiable dans le contexte d'un État dit laïc et égalitaire.

Pour bien illustrer le phénomène, prenons un autre exemple : une famille monoparentale avec un enfant de moins de 6 ans. L'enfant n'allant pas à l'école, nous fixerons des frais de garde de 5 000 $ pour les besoins de la démonstration. Imaginons que le revenu de travail passe de 30 000 $ à 35 000 $.

La différence ici est de 742 $, pour un taux de taxation implicite de 85,2 %.

Quand on parle d'inciter les assistés sociaux à travailler – outre le fait qu'il faudrait créer des emplois, car il ne suffit pas de couper l'assistance pour que les emplois surgissent comme par magie –, il faudrait peut-être aussi leur donner un incitatif financier qui se tienne. En fait, quand on parle d'inciter les assistés sociaux à travailler, on parle surtout de donner une opportunité aux employeurs de diminuer les salaires et les conditions de travail. Il est bien normal que travailler dans des emplois difficiles, peu valorisants et sous-payés, pour le simple plaisir d'être plus pauvres à la fin de la journée, ne soit pas un but dans la vie. Les mieux nantis devraient réviser leur système de valeurs. Qu'ils comparent un peu les attitudes cyniques qu'ils acceptent d'eux-mêmes et la vertu totale qu'ils exigent des pauvres ! Évidemment, il y a tout un système médiatique qui entretient ces façons de penser.

La même situation se produit, on le voit dans le tableau 11.2, pour les familles. Notre exemple montre aussi que pour une famille monoparentale, il peut devenir inutile de faire des efforts pour passer d'un certain seuil de revenu à un seuil plus élevé. Plutôt que de répéter à satiété des antiennes sur la lutte contre la pauvreté et le soutien aux familles, il faudrait peut-être s'y mettre sérieusement en éliminant, par exemple, ces effets pervers du système fiscal.

Tab. 11.2 – Taux implicite d'impôt - exemple pour deux niveaux de revenus

1. Revenu de travail	30 000	35 000
2. Gouvernement du Québec		
Impôt	-3 338	-4 084
Crédits socio-fiscaux	4 477	2 604
Allocations familiales	131	131
Cotisations au RRQ	-935	-1 113
Sous-total	335	-2 462
3. Gouvernement du Canada		
Impôt	-1 493	-2 204
Crédits socio-fiscaux	503	299
Prestations fiscales pour enfants	1 336	918
Cotisations à l'assurance-emploi	-765	-893
Sous-total	-419	-1 880
4. Contribution nette (2+3)	-84	-4 342
Revenu disponible	29 916	30 658

Source : Commission parlementaire sur la réduction des impôts des particuliers, 1999, p. 6.

Notons, au passage, qu'une fiscalité mieux adaptée, associée au revenu de citoyenneté, réglerait ces problèmes en grande partie.

Chapitre 12

L'impôt des entreprises ou l'enfer fiscal

« Si l'enfer ersemble au club
ousque j'travaille
Ça m'fait rien pantoute d'aller passer
mon étarnité là. »
Michel Tremblay
(Françoise Durocher : waitress)

L'IMPÔT des entreprises est un secteur important, sinon dans les chiffres, du moins en principe. À l'origine, l'impôt des compagnies était censé s'harmoniser avec l'impôt des particuliers. Autrement dit, le propriétaire d'une compagnie devrait payer le même impôt que celui qui gagne son revenu en vendant sa force de travail.

Malheureusement, il y a longtemps que la complexité fiscale a relégué ce principe aux oubliettes et que les taux d'imposition ne fonctionnent plus ainsi.

12.1. Le mythe de la PME moteur de l'économie

On nous dit souvent que notre économie repose sur les PME et que, par conséquent, il faut leur consentir toutes sortes d'avantages pour leur permettre de créer la richesse. Est-ce bien vrai ?

À notre époque de concentration des entreprises, la PME est souvent une sous-traitante de la grande entreprise. À quoi sert la sous-traitance pour la grande entreprise ? À payer moins cher en engageant des firmes dont les employés ne sont pas syndiqués, n'ont pas d'avantages sociaux appréciables et où les règles de sécurité et de santé ne sont pas respectées. La sous-traitance permet de casser les syndicats et les salaires. De ce point de vue, la PME ne crée donc pas d'emplois ; elle les déplace et transforme des emplois de qualité en emplois précaires et sous-payés. Il y a quelques années, on annonçait que la division d'un fabricant de jeans montréalais qui s'occupait de les blanchir devait fermer. Les employés de cette division étaient des travailleurs non spécialisés qui touchaient un très faible salaire. Le contrat était donné à une entreprise de la Beauce. Évidemment, personne n'a soulevé la question suivante : comment, transport et administration inclus, le sous-traitant beauceron pouvait faire la même chose pour moins cher que la division sur place et comment il exploitait ses employés, ou possiblement s'exploitait lui-même. Au plus fort de l'idéologie du « créez votre emploi vous-mêmes », nous avons assisté à ce genre de délire : on donnait à des gens, pour les aider à créer leur emploi, l'équivalent du salaire minimum pendant un peu plus de 30 semaines.

> Mais le chômage n'est que la manifestation la plus visible d'une transformation en profondeur de la conjoncture de l'emploi. *La précarisation* du travail en constitue une autre caractéristique, moins spectaculaire mais sans doute plus importante encore. Le contrat de travail à durée indéterminée est en train de perdre son hégémonie. Cette forme la plus stable de l'emploi, qui a atteint son apogée en 1975 et concernait alors 80 % de la population active, est tombée aujourd'hui à moins de 65 %. Les « formes particulières d'emploi » qui se développent recouvrent une foule de situations hétérogènes, contrat de travail à durée déterminée (CDD), intérim, travail à temps partiel et différentes formes d'« emplois aidés », c'est-à-dire soutenues par les pouvoirs publics dans le cadre de la lutte contre le chômage. [...] Plus des deux tiers des embauches annuelles se font selon ces formes, dites aussi « atypiques ». (Castel, 1995, p. 400.)

Dans le journal *Le Plateau*, on donnait cet exemple d'un travailleur autonome (quelqu'un qui s'exploite lui-même) qui a produit une émission et l'a vendue à Radio-Canada. Pour ce faire, il a travaillé de longues heures, il a fourni le matériel informatique, la documentation, le lieu de travail, etc. S'il n'avait pas fait cette émission, est-ce que Radio-Canada se serait abstenue de diffuser pendant une heure chaque semaine ? Sans doute que non. On a ainsi transformé un emploi de qualité à Radio-Canada en un sordide emploi de travailleur exploité en dehors de ses murs. Cela correspond d'ailleurs à une époque de compressions importantes à la société d'État. Sous couvert de la création d'emploi, nous acceptons et même parfois encourageons une dégradation des emplois, assortie d'un déplacement de ceux-ci vers l'extérieur de l'entreprise. Bien sûr, cela a pour effet de diminuer les coûts et d'augmenter les profits et la flexibilité de l'entreprise. Si elle désire se relocaliser, cette dernière a moins d'employés à considérer, puisqu'ils sont devenus des sous-traitants. De 1976 à 2000, la proportion de travailleurs autonomes a plus que doublé : voilà qui démontre une tendance sérieuse.

Un autre indicateur de la dégradation de l'emploi est la proportion de travailleurs cumulant deux ou plusieurs emplois. Cette proportion a quadruplé entre 1976 et 2000. L'augmentation des emplois à temps partiel est une cause importante de ce phénomène. Au Québec, en 2000, plus de 36 % des travailleurs et travailleuses occupaient un emploi atypique. Le masculin n'inclut pas le féminin dans ce cas-ci, car 40 % des femmes occupent de tels emplois, contre 33 % des hommes.

On argumente aussi que les PME paient des impôts. Pourtant, les taux auxquelles ces dernières sont imposées sont très bas. Après les déductions pour petites entreprises et pour bénéfices de fabrication et de transformation, il faut encore enlever tous les crédits d'impôts spéciaux qui apparaissent de temps en temps, soit pour la création d'emploi, soit pour une autre priorité du moment. N'oublions pas qu'un vendeur de hamburgers avait obtenu sa déduction pour fabrication et transformation parce qu'il prenait les ingrédients et les transformait en hamburgers. Les définitions sont larges, de même que leur application.

Les propriétaires de PME tirent des sommes importantes de leur entreprise sans que l'impôt qu'ils paient soit proportionnel. Nous connaissons tous des exemples d'entreprises que les propriétaires ont de la difficulté à vendre, parce que leur chiffre d'affaires officiel n'est que peu représentatif de leur chiffre d'affaires réel. Plusieurs restaurants, après l'heure de pointe du midi, passent facilement une ou quelques dizaines de clients pendant que la caisse demeure ouverte. En plus, ils ont le front de nous faire payer la taxe de vente, qu'ils ne rembourseront évidemment pas. Pendant ce temps, ils donnent des reçus en blanc aux hommes d'affaires qui déduisent le montant de leur carte de crédit ou de celle de l'entreprise. Ces reçus, additionnés aux montants passés sur les cartes représentent souvent plusieurs fois le vrai montant.

Les reçus d'essence constituent aussi une bonne source de déduction. Nous avons tous été témoins d'entrepreneurs qui avaient des livrets de reçus de stations-service dont ils pouvaient user à leur guise. Comment les découvrir... il y a tant de gens qui prennent de l'essence sans reçu ! Plusieurs petites entreprises ont également des emplois fictifs pour les membres de la famille des principaux actionnaires. On se permet ainsi de financer les études de ses enfants avec de l'argent déductible et de séparer le revenu familial. Souvent, les voitures personnelles des conjoints et des enfants sont aussi incluses dans les dépenses de l'entreprise. Si c'est un restaurant, tout le monde est nourri avant impôt, même chose pour les épiceries et les dépanneurs, etc. En somme, il est loin d'être évident que l'impôt étouffe effectivement les PME.

On nous affirme aussi que le niveau des impôts fait fuir les cerveaux. Ironiquement, ceux qui le disent sont restés. En regardant les taux effectifs, on s'aperçoit que les différences sont loin de justifier les discours qu'on entend.

Les taux se ressemblent beaucoup, surtout si l'on considère que le coût de la vie est encore passablement plus élevé dans les autres provinces et dans la plupart des autres pays de l'OCDE. Le maigre 1 % de différence avec l'Ontario et la Colombie-Britannique est vite compensé par le prix des logements (même s'il est de plus en plus élevé au Québec).

TAB. 12.1 – Taux effectifs d'impôt sur le revenu dans certaines provinces canadiennes et dans certains pays de l'OCDE

Provinces	%	Pays	%
Québec	15	Canada	14
Ontario	14	Italie	12
B.C.	14	Allemagne	11
Nouvelle Écosse	14	U.S.A.	10
Terre-Neuve	13	U.K.	9
Alberta	11	Japon	8
		France	6

Source : Adapté de ministère du Conseil exécutif, 1996, p. 37.

Si l'on se compare aux États-Unis, c'est la couverture sociale qui fait toute la différence. Chez les Étasuniens, il faut se payer de coûteuses assurances privées pour les frais médicaux, sans compter que les cliniques ne sont pas toujours à la hauteur des fantasmes de Denys Arcand. Les compagnies d'assurances et les cliniques ont souvent les mêmes propriétaires ; la compagnie d'assurance choisit donc la clinique et la clinique décide des frais que devra rembourser la compagnie d'assurances. Ce sont les joies de l'intégration verticale, de la convergence.

En France, les contribuables paient 6 % d'impôts (parfois plus aujourd'hui), mais ils doivent débourser autour de 20 % de plus pour la sécurité sociale qui, au Québec, est incluse dans l'impôt. Il ne faut donc pas crier trop vite à la différence, d'autant plus que le coût de la vie à Paris, à Londres ou à Tokyo n'a rien de comparable avec ce que l'on connaît ici. Le Québec n'est pas exactement l'enfer fiscal qu'on nous décrit souvent pour justifier les programmes de diminution d'impôts, qui sont en réalité des projets de privatisation et de compressions dans les services publics.

La part de l'impôt des entreprises (impôts sur le bénéfice et taxe sur le capital) diminue constamment, comme nous l'avons souligné plus tôt. Dans les années 1950, les impôts des entreprises couvraient près de 30 % des recettes publiques de toutes sortes. Au milieu des années 1990, ils représentaient moins de

10 %. Les impôts des entreprises constituaient, toujours dans les années 1950, 7 % du PIB, alors qu'ils sont tombés à 3 % au milieu des années 1990. Ces données proviennent du Comité technique de la fiscalité des entreprises, mis en place par Paul Martin lui-même alors qu'il était ministre des Finances. Elles montrent bien que les entreprises contribuent de moins en moins au financement des différentes administrations publiques.

En 1999, KPMG a publié une étude comparant plusieurs pays et plusieurs villes dans le monde quant aux coûts d'installation des entreprises de divers secteurs. Les conclusions montraient que le Canada en général, et le Québec en particulier, constituaient des endroits de prédilection pour implanter de nouvelles entreprises. Le Canada se retrouve au premier rang, tous secteurs confondus, et les coûts au Québec sont inférieurs à la moyenne canadienne. En s'appuyant sur des données provenant de partout dans le monde, KPMG a développé un modèle déterminant les coûts sensibles lors de l'installation des entreprises. Ces coûts sont multiples et comprennent plusieurs composantes : coûts liés à l'emplacement, coûts de main-d'œuvre, coûts de distribution des produits, etc. Ces coûts sont détaillés en fonction du secteur industriel de l'entreprise.

> KPMG a élaboré un modèle exclusif d'analyse comparative des coûts des entreprises dans divers secteurs industriels répartis dans un grand nombre de villes et de pays.
>
> Ce modèle utilise deux sources principales d'information :
>
> – Des paramètres de fonctionnement normalisés pour chacun des secteurs industriels à l'étude.
> – Des données courantes sur les coûts d'investissement et d'exploitation pour chacun des emplacements à l'étude.
>
> En combinant les informations relatives à chaque secteur industriel et à chaque emplacement, le modèle KPMG évalue les coûts annuels et les mouvements de trésorerie associés à l'implantation d'une nouvelle entreprise. (KPMG, 1999, p. 11.)

TAB. 12.2 – Comparaison des coûts d'installation d'une entreprise

Pays	Indice (moyenne des secteurs)
Québec	90,3
Canada	92,2
Royaume-Uni	94,8
États-Unis	100,0
Autriche	104,1
France	104,2
Italie	104,2
Allemagne	108,0

Source : KPMG, 1999, p. 8.

Les indices les plus bas correspondent aux coûts les plus bas. On voit que le Québec se classe très bien dans l'ensemble et même loin devant les États-Unis, ce paradis de l'entreprise. De plus, aux États-Unis, ce ne sont pas nos voisins immédiats (les États de la Nouvelle-Angleterre et l'État de New York) qui sont les moins chers, malgré le fait que nous leur ayons longtemps fait « cadeau » de notre électricité, diminuant ainsi leurs coûts de production.

Le tableau page suivante énumère 52 villes avec leur indice des coûts locaux d'implantation pour les entreprises. Cet indice fonctionne à l'inverse de celui du tableau 12.2 : plus il est important, plus les coûts sont faibles et plus il est faible, plus les coûts sont élevés. La moyenne est fixée à zéro et le chiffre représente la distance par rapport à la moyenne.

Comme on le voit, plusieurs villes canadiennes se classent parmi les premières. Les deux premières sont d'ailleurs québécoises, et quatre des sept premières sont canadiennes.

Nous savons tous que le coût de la vie est bien moins élevé au Québec que dans la plupart des autres provinces et que dans tous les pays industrialisés. Le prix des terrains et des immeubles classe à lui seul le Québec parmi les lieux les plus intéressants pour implanter une entreprise.

Il ne faut donc pas considérer seulement l'impôt lorsque l'on

TAB. 12.3 – Classement des villes par rapports aux coûts d'implantation d'une entreprise

Rang	Ville	Indice	Rang	Ville	Indice
1	Sherbrooke	10,8	27	Colorado Springs	0,3
2	Québec	9,7	28	Columbus	0,2
3	Halifax	9,5	29	Scranton	-0,4
4	Edmonton	9,2	30	Lewiston	-0,5
5	Montréal	9,1	31	Dallas	-0,9
6	Saskatoon	9,1	32	Minneapolis	-1,6
7	Hull	9,0	33	Chicago	-1,9
8	Moncton	8,7	34	San Diego	-2,2
9	Calgary	7,7	35	Sacramento	-2,5
10	Kingston	7,5	36	Valenciennes	-3,0
11	Ottawa	7,4	37	Hartford	-3,1
12	Winnipeg	7,3	38	Linz	-3,4
13	London	7,2	39	Seattle	-3,4
14	Kitchener	7,0	40	Newark	-3,6
15	Kamloops	6,9	41	Avezzano	-3,6
16	Mississauga	6,8	42	Graz	-3,8
17	Toronto	6,2	43	Boston	-3,9
18	Talford	5,8	44	Grenoble	-4,0
19	Vancouver	5,1	45	Turin	-4,3
20	Cardiff	5,0	46	Modène	-4,6
21	San Juan	4,9	47	Vienne	-5,2
22	Manchester	4,7	48	Toulouse	-5,5
23	Anniston	3,8	49	Dresde	-5,6
24	Boise	1,5	50	New York	-5,7
25	Raleigh	1,1	51	Darmstadt	-8,7
26	Atlanta	0,4	52	Dusseldorf	-9,6

Source : KPMG, 1999, p. 9.

effectue ce genre de comparaison, à moins que ce choix soit volontaire, comme c'est le cas des ministres et des chefs d'entreprise. Un ensemble de caractéristiques et de coûts doit être pris en compte, dont les impôts locaux – qui peuvent être très élevés dans d'autres pays. On s'aperçoit alors que la situation ne ressemble pas tellement à celle qu'on nous claironne sur toutes les tribunes.

12.2. Les « impôts » sur la masse salariale

Les deux tiers des impôts payés par les entreprises proviendraient de ce qu'elles appellent, à tort, l'impôt sur la masse salariale. Cet impôt a un taux de 10,1 %. On peut le détailler comme suit :

Assurance-emploi	3,1 %
RRQ	1,7 %
Santé et sécurité	1,7 %
Fonds des services de santé	3,6 %

Par sa contribution à l'assurance-emploi, l'entreprise participe au maintien de la réserve de chômeurs dont le système capitaliste a besoin. Pourquoi en a-t-il besoin ? Pour maintenir les salaires au niveau le plus bas possible. Ce versement à l'assurance-emploi n'est pas une taxe. Si l'assurance-emploi était privée, appellerait-on ces versements des impôts ?

En regardant l'impôt réel des entreprises, on voit, là encore, que la situation n'est pas désespérée. Commençons par le premier niveau :

Tab. 12.4 – Taux effectifs d'impôt sur les profits des entreprises

Provinces	%	Pays	%
Québec	22	Canada	18
Alberta	18	Italie	40
Ontario	17	Allemagne	26
B.C.	17	U.S.A.	26
Manitoba	16	U.K.	18
Terre-Neuve	15	Japon	36
Nouvelle-Écosse	14	France	35

Source : Adapté de ministère du Conseil exécutif, 1996, p. 50.

Si nous nous comparons aux autres pays, il semblerait que la fiscalité québécoise soit loin d'être la catastrophe dont on nous parle, et encore moins un obstacle au développement. Cela ne comprend pas les cadeaux que l'État offre aux entreprises quand il cède à leur chantage. De plus, les chiffres du tableau 12.4

demeurent agrégés et théoriques, puisque plusieurs autres niveaux existent en réalité. En considérant seulement l'impôt théorique sur le revenu des entreprises, on obtient une image déjà plus nuancée.

TAB. 12.5 – Taux d'imposition sur le revenu des sociétés – année d'imposition 1996 (%)

	Revenus actifs			Revenus passifs
	Admissibles à la DPE [a]	Non admissibles à la DPE Fabrication [b]	Non admissibles à la DPE Autres	
Québec	2,75	8,9	8,9	16,25
Ontario	9,5	13,5	15,5	15,5
C.B.	9,0	16,5	16,5	16,5
Alberta	6,0	14,5	15,5	15,5
Saskatchewan	8,0	10,0	17,0	17,0
Manitoba	9,0	17,0	17,0	17,0
N. Brunswick	7,0	17,0	17,0	17,0
Ile du P.E.	7,5	7,5	15,0	15,0
N. Écosse	5,0	16,0	16,0	16,0
Terre-Neuve	5,0	5,0	14,0	14,0
Canada	13,12	22,12	29,12	29,12

a. La DPE est une déduction pour petite entreprise. Elle fonctionne tant que l'entreprise n'a pas atteint une limite de revenus maximale.

b. La déduction pour fabrication transformation s'applique aux entreprises qui, au sens très large, fabriquent un nouveau produit avec des matières de base.

Source : Ministère des Finances du Québec, 1996, p. 11.

Le tableau 12.6 montre comment, en 1996, le ministère des Finances évaluait la compétitivité fiscale globale du Québec pour les petites et les grandes entreprises.

L'indice de base (100) a été attribué au Québec. Plus le chiffre est élevé, moins l'État est compétitif. D'après ces chiffres, le Québec est donc plus compétitif que tous ses voisins, ce qui est également la conclusion que l'on peut tirer du tableau 12.5. Comme ces chiffres émanent du gouvernement du Québec, comment peut-on continuer à tenter de nous faire peur avec notre supposé enfer fiscal ? Il suffit d'écouter les nouvelles pour se rendre compte que tout le monde – lecteurs de nouvelles inclus – est

TAB. 12.6 – Compétitivité fiscale du Québec

	Petites entreprises	Grandes entreprises
Québec	100	100
Ontario	102	104
Massachusetts	122	138
Michigan	115	135
New-York	126	141

Source : Ministère des Finances, 1996, p. 52.

convaincu que nous sommes les plus taxés au monde.

En réalité, en 2002-2003 – sans doute pour augmenter notre compétitivité –, les revenus tirés de la fiscalité des entreprises ont diminué de 8,6 %, et les revenus tirés des impôts des particuliers ont augmenté de 1,8 %. Ce chiffre ne signifie pas grand-chose ; il peut simplement venir d'une fluctuation à la baisse du taux de chômage. Mais si le taux de chômage est à la baisse, cela indique que les entreprises ont mieux fonctionné, et la baisse de leur taux de contribution réelle devient donc significative. Pendant ce temps, les revenus provenant des taxes à la consommation (TPS, TVQ) ont augmenté de 13,9 %.

Nous constatons une fois de plus que notre fiscalité est de plus en plus régressive. Les taux théoriques pour l'impôt de base ont connu une diminution relative, les taux effectifs sont pratiquement demeurés les mêmes et les taxes à taux fixes augmentent toujours. Que reste-t-il de notre belle fiscalité progressive qui devait témoigner de la justice sociale ?

12.3. La déclaration d'impôts des entreprises

Dans le cas des entreprises, on peut faire un exercice relativement semblable à celui qui vient d'être fait pour les particuliers et décliner, jusqu'à un certain point, leur déclaration d'impôts agrégée.

La première chose qui saute aux yeux est la très mauvaise situation dans laquelle se retrouvent la majorité des entreprises québécoises ou faisant des affaires au Québec. La proportion de compagnies qui ne sont pas imposées, autrement dit qui ont un revenu imposable nul ou un montant d'impôts à payer nul une fois déduits les crédits, est impressionnante.

TAB. 12.7 – Entreprises imposées et non imposées

Année	Non imposées	Imposées	Total	% non imposées
1981	61 007	56 049	117 056	52
1982	67 675	54 327	122 002	55
1983	74 067	58 638	132 705	56
1984	72 192	71 767	143 959	50
1985	76 049	80 206	156 255	49
1986	80 400	88 594	168 994	48
1987	87 974	95 553	183 527	48
1988	99 777	99 297	199 074	50
1989	113 318	100 350	213 668	53
1990	120 613	101 068	221 681	54
1991	131 362	94 167	225 529	58
1992	135 038	92 292	227 730	59
1993	137 814	92 541	230 355	60
1994	142 487	100 176	242 663	59
1995	138 285	111 126	249 511	55
1996	147 884	117 266	265 150	56
1997	141 954	124 709	266 663	53
1998	140 339	131 400	271 739	52
1998	138 547	129 731	268 279	52

Source : Adapté de ministère des Finances de l'Économie et de la Recherche, 2003b, p. 45.

La proportion des entreprises non imposées atteint même 60 %, ce qui est absurde. Il est impossible que tant d'entreprises aient des difficultés de manière aussi récurrente. Même avec une rotation, quand on atteint des taux comme 60 %, il faut admettre que les mêmes entreprises doivent se retrouver pendant de longues périodes dans la catégorie des non imposées, et ce, sans déclarer faillite.

Prenons un cas réel : un restaurant situé dans un centre commercial. Le restaurateur déclarait, pour fins fiscales, des pertes variant entre 60 000 $ et 90 000 $ par année pour les trois premières années d'opération, sur un chiffre d'affaires annuel qui ne dépassait pas les 200 000 $. En examinant les chiffres, on voyait bien qu'il n'y avait aucune chance pour que ce restaurant devienne profitable, fiscalement parlant, dans un avenir rapproché. Le propriétaire tentait de faire croire au ministère du Revenu qu'il vivait à même sa fortune personnelle et qu'il renflouait les pertes du restaurant à même cette fortune... Pourtant, à notre connaissance, jamais cela ne fut remis en question par le fisc. Cet exemple peut paraître banal, mais il décrit bien une situation qui devient endémique.

D'ailleurs, si les individus qui perdent leur emploi ne peuvent pas demander de remboursements des impôts qu'ils ont payés les années précédentes, pourquoi une entreprise qui prétend faire des pertes devrait-elle voir diminuer son impôt sur ses profits passés ou futurs ? Il n'y a aucune logique à cela, sinon celle de créer un système dans lequel les pertes fiscales s'échangent sur les marchés, ce qui devient extrêmement malsain.

Les grandes entreprises ont aussi plusieurs moyens à leur disposition afin de se jouer de l'impôt. Cependant, elles doivent également donner une bonne image aux actionnaires et autres bailleurs de fonds, ce qui implique souvent de faire des profits. C'est d'autant plus vrai dans le cas des moyennes entreprises inscrites à la Bourse, dont les activités ont exclusivement lieu à l'intérieur de nos frontières. Celles-là ne peuvent pas sortir leurs profits des pays à hauts taux d'imposition pour les déclarer dans des paradis fiscaux et ainsi avoir de beaux profits pour le groupe au niveau international [1]. Certes, une telle chose est toujours possible, mais devient un peu plus difficile [2]. Cela explique sans

1. Pour la fiscalité, le groupe (consolidé) n'existe pas. Ainsi, une entreprise internationale dont le siège social est à Montréal pourrait montrer de beaux profits consolidés aux actionnaires montréalais et payer peu d'impôts, car les profits en question viendraient de filiales résidant dans des paradis fiscaux. Le fisc ne considère que les personnes morales une à une et indépendamment les unes des autres, quels que soient leurs liens avec d'autres entreprises.

2. Parce que les compagnies étrangères fictives ne se situent pas alors entre une compagnie étrangère et une compagnie canadienne, mais entre deux com-

doute pourquoi ce sont les moyennes entreprises qui ont la plus faible proportion de compagnies non imposées (26,5 %), suivies des grandes (34,1 %) et enfin des petites (53,7 %).

Les petites entreprises n'ont qu'un bailleur de fonds externe, quand elles en ont un, et c'est la banque. La banque peut connaître les affaires secrètes de son client et, de plus, elle se prend des garanties qui la mettent à l'abri des fluctuations du profit déclaré. En conséquence, la petite entreprise peut cacher une bonne partie de ses revenus ou des dépenses personnelles des propriétaires incluses dans les dépenses de la compagnie. Certaines de ces entreprises, au moment de vendre, se retrouvent en difficulté, car les propriétaires ne veulent absolument pas vendre sur la base des états financiers, qui ne représentent qu'une infime partie de la capacité de la firme à générer des revenus. Par ailleurs, il est toujours dangereux de dévoiler des informations secrètes à des acheteurs qu'on ne connaît pas.

Il semblerait que cette pauvre petite entreprise, qui a tant besoin du soutien de l'État et qui crée des emplois, n'apporte pas sa juste contribution dans la société. Répétons-le : il est impossible que plus de la moitié de ces entreprises n'aient vraiment pas de revenus fiscaux, et ce, d'une manière récurrente.

Ces petites entreprises sont nombreuses. La répartition montre que sur les 268 279 déclarations enregistrées pour l'année 1999, les entreprises se divisaient comme le montre le tableau 12.8.

Pour les petites entreprises, le bénéfice net aux états financiers est très bas. C'est pour elles le principal moyen de défense contre l'impôt. Ajoutons à cela que les avantages pris en douce par le propriétaire ou l'actionnaire principal et déduits par l'entreprise dans le calcul de son revenu imposable ne sont pas imposés non plus sur le revenu du propriétaire, ce qui constitue un double avantage. Par exemple, le propriétaire amène sa famille au restaurant, l'addition est payée par l'entreprise, elle est déduite dans les états financiers de celle-ci et ne vient jamais augmenter le salaire du propriétaire ni les dividendes de l'actionnaire.

pagnies canadiennes. Mais c'est possible, le cas Paul Martin le prouve.

TAB. 12.8 – Statistiques fiscales selon la taille de l'entreprise

	Nombre de déclarations	% de la catégorie	Bénéfice net aux EF [a]	% des bénéfices net
Petites	247 014	92,1	2 362	4,8
Moyennes	17 074	6,4	3 067	6,2
Grandes	4 191	1,6	44 060	89,0

a. États financiers – en millions de dollars.

Source : Adapté de ministère des Finances de l'Économie et de la Recherche, 2003b, p. 14.

Pour les grandes entreprises, le lien entre le bénéfice comptable et le bénéfice fiscal est moins direct. Il existe une multitude de possibilités de différences, alors que souvent, pour les petites entreprises, seul l'amortissement différera.

Le tableau 12.9 énumère les différences reconnues dans un formulaire d'impôt fédéral :

TAB. 12.9 – Revenu net (perte nette) aux fins de l'impôt sur le revenu

ANNEXE 1
REVENU NET (PERTE NETTE) AUX FINS DE L'IMPÔT SUR LE REVENU
(années d'imposition 2000 et suivantes)
....

Cette annexe est utilisée pour effectuer le rapprochement entre le revenu net (la perte nette) de la société selon les états financiers et le revenu net (la perte nette) aux fins de l'impôt sur le revenu.
Donnez les détails nécessaires dans la section de l'identification, et remplissez les lignes numérotées requises.
Vous devez reporter les montants selon les principes comptables généralement reconnus.
Les articles, paragraphes et alinéas mentionnés dans cette annexe renvoient à la *Loi de l'impôt sur le revenu.*
Pour plus de renseignements, reportez-vous au *Guide T2 – Déclaration de revenus des sociétés.*
Revenu net (perte nette) après les impôts et les éléments extraordinaires selon les états financiers
Additionnez :
Provision pour impôts–courants
Amortissement des biens corporels
Amortissement des biens relatifs à des ressources naturelles
Amortissement des biens incorporels

suite page suivante

Intérêts et pénalités sur impôts
Revenu/perte aux fins de l'impôt–coentreprises/sociétés de personnes
Perte sur disposition d'actifs
Dons de bienfaisance–annexe 2
Gains en capital imposables–annexe 6
Contributions politiques
Retenues
Dépenses différées et dépenses payées d'avance
Amortissement de l'inventaire–fin de l'année
Dépenses de recherche scientifique déduites selon les états financiers
Contributions et honoraires non déductibles payés à des clubs
Frais de repas et de représentation non déductibles
Dépenses d'automobile non déductibles
Primes d'assurance-vie non déductibles
Régimes de retraite de l'entreprise non déductibles
Réserves fiscales déduites dans l'année précédente–annexe 13
Récupération de la déduction pour amortissement–annexe 8
Total des lignes 201 à 294 (page 2)
Gain sur vente d'immobilisation admissible–annexe 10
Intérêt capitalisé
Réserves comptables–solde à la fin de l'année
Coûts accessoires de construction ou de rénovation d'édifices
Déduisez :
Gain sur disposition d'actifs selon les états financiers
Dividendes non imposables selon l'article 83–annexe 3
Déduction pour amortissement–annexe 8
Perte finale–annexe 8
Perte déductible au titre d'un placement d'entreprise–annexe 6
Déduction d'impôt sur le revenu étranger non tiré d'une entreprise (par. 20(12))
Retenues
Dépenses différées et dépenses payées d'avance
Dépréciation de l'inventaire–fin de l'année précédente
Dépenses de recherche scientifique demandées dans l'année–formulaire T661
Réserves comptables–solde au début de l'année
Déduction pour montant cumulatif des immobilisations admissibles–annexe 10
Réserves fiscales demandées dans l'année courante–annexe 13
Revenu net (perte nette) aux fins de l'impôt sur le revenu– inscrivez ce montant à la ligne 300 de la déclaration T2
Perte d'avoir dans des filiales ou des sociétés affiliées
Provision pour impôts–différés
Dépenses de développement demandées dans l'année courante
Dividendes à recevoir–année précédente
Toutes créances de la couronne, redevances, loyers, etc.
Redevances minières (impôts miniers provinciaux)
Dépenses d'exploration demandées dans l'année courante
Intérêts payés sur obligations à intérêt conditionnel
Dividendes crédités au compte d'investissement
Montants pour ressources déduits

suite page suivante

Comptes à payer et comptes accumulés selon la comptabilité de caisse–fermeture
Comptes à recevoir et comptes payés d'avance selon la comptabilité de caisse–ouverture
Rajustement obligatoire de l'inventaire–inclus dans l'année courante
Valeur facultative de l'inventaire–incluse dans l'année courante
Pertes comme commanditaire–annexe 4
Pertes agricoles restreintes–année courante–annexe 4
Additionnez :
Inventaire accumulé–ouverture
Pertes comptables de coentreprises ou de sociétés de personnes
Dépenses en capital
Dépenses sur émission obligataire
Dividendes réputés
Intérêts réputés sur des prêts à des non-résidents
Intérêts réputés reçus
Rajustement pour dividendes relatifs à la minimisation des pertes
Frais financiers déduits aux livres
Revenu étranger accumulé tiré de biens
Revenu de société étrangère affiliée tiré de biens
Change inclus dans les bénéfices non répartis
Gains sur règlement de dettes
Pertes de centres bancaires internationaux
Publicités non déductibles
Intérêts non déductibles
Frais comptables et légaux non déductibles
Autres dépenses selon les états financiers
Récupération de dépenses de RS&DE–formulaire T661
Cotisations des taxes de ventes
Frais pour émission d'actions
Réduction de la valeur des immobilisations
Montants reçus à l'égard d'une fiducie pour l'environnement admissible selon les alinéas 12(1)z.1) et 12(1)z.2)
229
Rajustement de la méthode d'achèvement des travaux d'entrepreneurs : revenu après la déduction des coûts de contrats de moins de deux ans–année précédente
238

....

Dividendes à recevoir–année courante
Revenu comptable de coentreprises ou de sociétés de personnes
Part dans le revenu de filiales et de sociétés affiliées
Contributions dans une fiducie pour l'environnement admissible
Comptes à payer et comptes accumulés selon la comptabilité de caisse–ouverture
Comptes à recevoir et comptes payés d'avance selon la comptabilité de caisse–fermeture
Inventaire accumulé–fermeture
Rajustement obligatoire de l'inventaire–inclus dans l'année précédente
Valeur facultative de l'inventaire–inclus dans l'année précédente
Déduisez :
Mauvaise créance

---

suite page suivante

Revenu exonéré selon l'article 81
Revenus de centres bancaires internationaux
Dépenses de publicité non canadienne–radiodiffusion
Dépenses de publicité non canadienne–documents imprimés
Autres revenus selon les états financiers
Paiements proportionnels à l'importance des emprunts et intérêts supplémentaires–annexe 17
Rajustement de la méthode d'achèvement des travaux d'entrepreneurs : revenu après la déduction des coûts de contrats de moins de deux ans–année courante
Épuisement–annexe 12
Frais d'exploration au Canada–annexe 12
Frais d'aménagement au Canada–annexe 12
Frais d'exploration et d'aménagement à l'étranger–annexe 12
Frais à l'égard de biens canadiens relatifs au pétrole et au gaz–annexe 12
Déductions relatives aux ressources
Déductions pour ressources :
Créances de la couronne déductibles
Autres déductions :

Source : Agence des douanes et du revenu du Canada, formulaires.

Les possibilités sont donc multiples et sont d'autant plus nombreuses que nous avons affaire à des entreprises importantes et complexes, ayant les moyens de se lancer dans des opérations destinées à réduire leurs impôts. En conséquence, le bénéfice comptable des grandes entreprises est un piètre indicateur de ce que sera leur revenu imposable.

Tab. 12.10 – Statistiques fiscales selon la taille de l'entreprise (suite)

	Revenu net fiscal [a]	%	Revenu imposable au Québec	%
Petites	6 696	8,8	5 150	23,5
Moyennes	5 555	7,3	4 070	18,6
Grandes	63 820	83,9	12 717	58,0

a. Revenus en millions de dollars.

Source : Adapté de ministère des Finances de l'Économie et de la Recherche, 2003b, p. 16 et 21.

Si on s'attarde au revenu imposable, on remarque que les petites et les moyennes entreprises connaissent une hausse, alors que les grandes entreprises enregistrent une baisse importante de leur bénéfice imposable par rapport à leur bénéfice comptable. Ces grandes entreprises réussissent donc à donner une image positive aux investisseurs tout en affichant un profit minimal pour fins fiscales. On voit aussi que l'écart entre les deux revenus augmente avec la taille de l'entreprise : le revenu imposable constitue 76,9 % du revenu net fiscal pour les petites entreprises (qui est déjà possiblement inférieur au revenu comptable) et 73,3 % pour les moyennes ; cependant, on tombe à un revenu imposable ne représentant plus que 19,9 % du revenu net fiscal pour les plus grandes entreprises.

TAB. 12.11 – Statistiques fiscales selon la taille de l'entreprise (suite)

	Impôt à payer [a]	%	Taux moyen	Différence Bénéfice net - revenu imposable
Petites	451	22,4	7,4	-2 788
Moyennes	389	19,3	8,0	-1 003
Grandes	1 175	58,3	9,1	31 343

Note : En comparant les deux tableaux, on comprend que les petites entreprises réalisent 8,8 % du total du revenu net fiscal. Elles présentent par contre 23,5 % du revenu imposable, ce qui fait qu'elles paient 22,4 % des impôts des entreprises sur le bénéfice.

a. En millions de dollars

Source : Adapté de ministère des Finances de l'Économie et de la Recherche, 2003b, diverses pages.

Finalement, avec un bénéfice net comptable 14 fois supérieur à celui des moyennes entreprises et 19 fois supérieur à celui des petites, les grandes entreprises réussissent à payer seulement 3 fois l'impôt des moyennes ou des petites entreprises. Ne doutons pas qu'elles engagent les meilleurs fiscalistes – ou les plus retors, ce qui revient probablement au même.

La différence, nous l'avons dit plus haut, vient de la possibilité de déduire des éléments du revenu comptable avant d'arriver au revenu fiscal. Les déductions se classent principalement en trois catégories : les dividendes imposables constituent 75,2 % des déductions, les pertes des autres années représentent 22,8 % et les dons de charité 2 %. La différence entre le revenu comptable et le revenu fiscal, dont les éléments théoriques sont énumérés au tableau 12.12, se décline monétairement ainsi :

TAB. 12.12 – Conciliation du bénéfice comptable et du bénéfice fiscal (en millions de dollars)

	Petites	Moyennes	Grandes
Bénéfice net selon les états financiers	2 362	3 067	44 060
+ Amortissement	2 195	1 739	20 379
+ Autres dépenses non admissibles	3 177	2 425	47 250
- Allocation du coût en capital	-2 236	-2 114	-27 956
- Autres déductions admissibles	-2 854	-2 079	-44 524
Revenu fiscal	2 644	3 038	39 209

Source : Adapté de ministère des Finances de l'Économie et de la Recherche, 2003b, pages diverses.

La question des dividendes imposables met en lumière la préséance que la loi accorde aux personnes morales sur les personnes physiques. Les actionnaires des entreprises opérantes ne sont souvent pas des individus, mais des compagnies (des *holdings*). Ces dernières ne servent qu'à différer l'imposition finale des gains des entreprises opérantes entre les mains des actionnaires, et à déduire une autre série de dépenses, surtout si le domicile légal de la *holding* se trouve dans un paradis fiscal. De plus, ces structures dans lesquelles on intercale des entreprises fermées (non cotées à la Bourse) entre des entreprises ouvertes (cotées à la Bourse) permettent de garder secrètes une grande partie des activités des entreprises et de leurs liens.

Toutes ces structures devraient être prohibées. Pour les éliminer, nul besoin d'émettre une interdiction formelle. Taxer les dividendes chaque fois qu'ils passent d'une structure légale à une autre suffirait amplement. En effet, personne ne voudrait voir ses dividendes taxés deux fois de suite, surtout s'il était impossible de bénéficier de crédit d'impôt pour dividendes.

La déduction pour dividendes représente un total dépassant légèrement les 25 milliards de dollars. Imaginons que ce revenu soit taxé directement au taux d'imposition des individus. Le taux effectif le plus élevé se situant légèrement en deçà de 20 %, l'État irait chercher 5 milliards de dollars supplémentaires. Une partie de ces sommes est actuellement taxée, mais une autre ne l'est pas ou ne l'est que très partiellement (sans calculs poussés, on peut penser à 2 ou 3 milliards).

Maintenant, imaginons aussi que nous augmentions le taux d'imposition des compagnies jusqu'à 15 % :

Tab. 12.13 – Statistiques fiscales selon la taille de l'entreprise (suite)

	Revenu imposable au Québec[a]	Impôt à payer actuel	Impôt à 15%	Gain
Petites	5 150	451	773	322
Moyennes	4 070	389	611	222
Grandes	12 717	1 175	1 908	733

a. En millions de dollars.

Source : Adapté de ministère des Finances de l'Économie et de la Recherche, 2003b, p. 37.

Ce faisant, l'État irait chercher 1,3 milliards de dollars supplémentaires. Ces sommes n'entraveraient aucunement la performance des entreprises, puisqu'elles sont prélevées après le calcul des bénéfices avant impôts, une fois que toutes les autres dépenses ont été prises en considération. Ce nouveau taux d'imposition compromettrait-il la motivation des entrepreneurs à faire des affaires au Québec ? Dans les documents d'analyse provenant du gouvernement lui-même, on parle de 22 % de taux effectif d'impôt au Québec. Si ce pourcentage avait été appliqué, on aurait retiré des revenus s'élevant respectivement, pour les trois catégories, à 1 133, 895 et 2 797 millions de dollars, pour un total de 4 825 millions. Cette somme est supérieure de près de 3 milliards à ce que l'État prélève actuellement.

Imaginons maintenant que l'État récupère la moitié des dépenses personnelles passées dans les entreprises, estimées par

Léo-Paul Lauzon à 100 milliards de dollars. Il récupère ainsi 50 milliards, qui sont alors taxés à 15 %, et il obtient un autre 7,5 milliards. Ces modifications ne changent rien de fondamental dans l'économie, mais elles rétablissent un peu de justice. Évidemment, certains diront que ces dépenses illégalement déduites font rouler l'économie. Par exemple, chaque fois qu'il a été question de restreindre les frais de représentation déductibles, notamment les dépenses de restaurant, de bons samaritains ont objecté que plusieurs restaurants allaient fermer. Personne n'a fait remarquer que, si c'était ainsi, plusieurs restaurants vivaient donc de l'argent volé à l'impôt, sans compter ce que les restaurateurs cachent comme revenus et ajoutent comme dépenses.

Les chiffres que nous venons de voir s'appliquent aux entreprises non financières. Les entreprises financières (banques, compagnies d'assurances, etc.) ont un revenu imposable proportionnellement bien inférieur à celui des entreprises non financières, ce qui signifie qu'il y a là des impôts à prélever qui échappent actuellement au fisc.

12.3.1. Taxe sur le capital

La taxe sur le capital est une façon de taxer les entreprises alors que les bénéfices échappent de plus en plus à l'imposition. Toutes les entreprises fonctionnent avec du capital, au sens large, et ne peuvent donc pas éviter cette forme de taxe. C'est sans doute pourquoi le Québec a décidé de s'en débarrasser graduellement…

Certes, cette taxe a un petit côté rétrograde. Une entreprise d'informatique peut faire des millions de dollars avec des investissements très réduits, alors qu'une entreprise industrielle doit posséder des actifs importants. De ce fait, les entreprises industrielles se trouvent plus taxées que des entreprises réalisant le même chiffre d'affaires, mais grâce à des actifs qui ne sont pas comptabilisés, comme la capacité créative de leurs employés. Il s'agit donc d'une taxe basée sur une vision de l'entreprise industrielle qui devient de plus en plus dépassée.

Les montants recueillis demeurent peu importants – moins

de 2 milliards de dollars pour toutes les entreprises – et ne sauraient compenser le laxisme de l'impôt sur les bénéfices ni, surtout, la façon dont les impôts sont prélevés. Il serait sans doute plus pertinent d'enrayer l'évasion fiscale sur les bénéfices que de perpétuer cette façon discriminatoire de taxer.

12.3.2. L'attitude du ministère du Revenu

Contrairement à ce que tentent de nous faire croire les médias – qui sont eux-mêmes des entreprises, ne l'oublions pas – le ministère du Revenu, comme les autres ministères, n'est pas très sérieux dans la perception des sommes dues par les entreprises.

Une partie de cette mollesse est imputable à l'attitude des tribunaux. Plusieurs juges, représentants d'une certaine droite, se considèrent trop taxés et sont souvent prêts à donner raison au contribuable, sans égards à l'esprit de la loi ou à la raison la plus élémentaire. En conséquence, les cotiseurs d'impôts préfèrent souvent un règlement hors cour à une audition laborieuse dont l'issue a si peu à voir avec la loi. D'ailleurs, la loi de l'impôt du Canada constitue, avec la loi de l'assurance-emploi, l'une des législations les plus complexes qui soient. La première privilégie les échappatoires alors que la seconde freine l'accessibilité.

Ainsi, certaines dépenses sont très peu discutées par les vérificateurs du ministère du Revenu, car elles sont historiquement reconnues par un courant jurisprudentiel. Par exemple, le salaire versé au conjoint qui connaît à peine l'adresse de l'entreprise mais qui figure au conseil d'administration et signe une centaine de chèques par année. Le conjoint se pointe à l'entreprise pendant la vérification ; ce n'est pas compliqué, puisque les règles interdisent les vérifications surprises. Les tonnes de reçus de restaurant constituent aussi une pratique qu'il est difficile d'enrayer totalement. Certains sont carrément faux, car le restaurateur remet aimablement un reçu en blanc avec la facture, que le contribuable peut remplir pour le montant voulu à la date voulue. Il y a aussi tous les repas qui n'avaient rien à voir avec les affaires de l'entreprise mais qui sont tout de même déduits. Les règles ont beau avoir été resserrées, les abus continuent. Le monde des affaires est de mèche pour tromper le fisc.

Ces façons de faire sont celles de la petite entreprise. Dans les grandes, on les utilise également, en plus d'autres outils de plus large envergure, qui entraînent des résultats bien plus catastrophiques. Est-ce normal que, tous les soirs, une proportion importante des billets du Centre Bell soit déduite de l'impôt, faisant des joueurs de hockey les fonctionnaires les mieux payés ?

Il est louable de resserrer les lois fiscales, mais encore faut-il les faire appliquer. La dernière fois que le Parti conservateur a pris le pouvoir à Ottawa, il s'est empressé de diminuer les heures passées sur chaque dossier et d'augmenter le nombre de formulaires. Le Parti libéral, de retour au pouvoir, n'a rien changé. Ainsi, pour diminuer la perception des impôts, inutile de rendre les lois plus souples pour les entreprises, au vu et au su du public ; il suffit de modifier les conditions de travail des vérificateurs du ministère du Revenu. On obtient alors les mêmes résultats, mais à l'abri des regards.

12.3.3. Le rôle des corporations professionnelles

Les corporations professionnelles, qui agissent sous l'autorité de l'Office des professions, ont souvent comme mandat officiel la protection du public, même si leurs membres ont tendance à l'oublier. Ces corporations ont un rôle important à jouer dans l'application des lois. Leur code de déontologie stipule que les membres doivent dénoncer leurs collègues incompétents et ne doivent pas participer à des opérations illégales – cela inclut le meurtre, bien sûr, mais aussi la déduction d'une fausse facture de restaurant...

Or les membres de ces corporations sont instruits dans l'idée que leur travail consiste à diminuer, par tous les moyens, la facture d'impôt des entreprises et des entrepreneurs.

À cet égard, des mesures draconiennes s'imposent. Chaque fois qu'une entreprise ou un individu est attrapé pour avoir déduit des sommes qui visiblement ne devaient pas l'être, le vérificateur devrait être radié de l'ordre. Faire l'objet d'une enquête disciplinaire ne suffit pas ; le principe des enquêtes faites par des pairs avalise les conflits d'intérêts comme étant la base de la « justice » professionnelle. Les comptables agréés font les normes (l'Institut canadien des comptables agréés), les membres de l'ordre les appliquent dans les entreprises et agissent comme vérificateurs externes et, s'il y a une plainte, les membres en disposent en comité interne. Il semble y avoir là un excès de consanguinité.

De plus, les vérificateurs n'appliquent pas les normes comptables quand il s'agit de fiscalité. S'ils optent pour un traitement fiscal discutable, jamais on ne trouvera dans les éventualités la possibilité que le ministère du Revenu interprète différemment la déduction et la refuse, entraînant ainsi un déboursé important dans les années futures. Or voilà qui remplit totalement la définition d'éventualité[3]. Mais toutes les obligations professionnelles et l'éthique la plus fondamentale semblent disparaître quand il s'agit d'impôt.

Nous avons vu, par exemple, les états financiers d'une moyenne-petite entreprise dans lesquels des autos qui se trouvaient au condo du propriétaire en Floride étaient déduites, où les stocks n'existaient pas, où les salaires des membres de la famille allaient à des gens qui n'étaient pas dans l'entreprise, etc. Ces états financiers étaient non seulement signés, mais ils étaient organisés par un professionnel. Il faut mettre fin à ces pratiques.

12.3.4. Le fonds des services de santé (FSS)

Les sommes versées au FSS le sont en fonction de la masse salariale de l'entreprise. Elles n'ont ainsi aucun lien avec la profitabilité de l'entreprise et peuvent être dues par des entreprises qui ne génèrent pas de revenus importants. On le sait, les entreprises qui ont les plus grandes marges de profit sont celles qui utilisent massivement les machines, alors que celles qui utilisent encore massivement le travail humain sont, en général, moins rentables

3. Une éventualité est un événement pour lequel les montants ne sont pas connus avec précision. Si c'était le cas, ils feraient l'objet d'une provision dans le bilan même. Si les montants ne sont pas connus ni estimables avec une probabilité suffisante, l'éventualité sera divulguée en note avec peut-être une mention des possibilités de dénouement et des montants associés à ces possibilités.

– du moins dans l'ancienne vision industrielle des choses, avant la venue des entreprises basées sur « le savoir ».

Or les taxes sur la masse salariale ont tendance à augmenter. La réduction de la masse salariale est donc indirectement encouragée. Pour ce faire, on peut accélérer l'acquisition de machines, ce qui ne serait pas un mal en soi si la fiscalité était conséquente. Mais on peut aussi utiliser des mesures dilatoires, comme de transformer, sur papier, ses employés en travailleurs autonomes ou en sous-traitants. Prenons l'exemple du domaine du textile. Les immenses ateliers dans lesquels des centaines de couturières travaillaient sont révolus. Désormais, les couturières achètent leur propre machine, souvent du *jobber*, et travaillent chez elles, seules ou parfois à deux. Le *jobber* est devenu un coursier qui distribue les tâches et ramasse les produits finis. Ainsi, il ne paie ni loyer, ni machines, ni contremaîtres, ni électricité. Surtout, il évite les menaces de syndicalisation, car pour se syndiquer, les employés doivent se voir et, bien sûr, être reconnus comme salariés au sens du Code du travail. En contournant le Code du travail, on évite du même coup le processus de syndicalisation et les règles du salaire minimum et des conditions minimales de travail, puisqu'il n'y a plus ni salaire, ni conditions de travail.

On élimine aussi le transport des ouvrières. De plus, comme on les paie à la pièce, le temps perdu devient sans importance. De toutes façons, ce système pressure les travailleuses : comme elles vivent 24 heures sur 24 à côté de la machine, elles en font plus que pendant les longues heures à la manufacture, qui finissaient tout de même par avoir une fin. Il n'y a plus de sirène pour « crier délivrance ». La délivrance ne vient donc jamais. Il fut un temps où les employés couchaient parfois à l'usine, entre les machines (au XIXe siècle). Aujourd'hui, c'est l'usine qui entre dans la chambre à coucher, ce qui revient au même.

12.4. Synthèse des prélèvements auprès des entreprises

On vient de constater que les revenus fiscaux tirés des entreprises se répartissent principalement en trois catégories de base : l'impôt sur les bénéfices, la taxe sur le capital et les cotisations au FSS. Il reste une autre catégorie de moindre importance regroupant des droits particuliers.

TAB. 12.14 – Évolution de la fiscalité des entreprises (en millions de dollars)

	Montants (1999)	%	Montants (2004)	%
Impôt sur les bénéfices	2 015	27,2	1 764	22
Taxe sur le capital	1 871	25,2	1 644	21
Cotisation au FSS	3 535	47,6	4 471	57
Total	7 421	100	8 397	100

Source : Adapté de ministère des Finances de l'Économie et de la Recherche, 2003c, pages diverses.

Ces chiffres illustrent bien la tendance. Le Comité technique de la fiscalité des entreprises montrait que la partie des prélèvements des entreprises basée sur les bénéfices était passée de 60 % au début des années 1950 à 20 % au début des années 1990. Cela prouve bien, si c'est encore nécessaire, que les bénéfices échappent de plus en plus à l'imposition. La part des prélèvements des entreprises qui devient de plus en plus importante est la cotisation au FSS. Cette dernière constitue un encouragement pour les entreprises à diminuer leur masse salariale par tous les moyens possibles. Alors que nos gouvernements se gargarisent de la prétendue création d'emplois, leur politique fiscale est une incitation à créer du chômage. Pendant ce temps, la taxe sur le capital disparaît peu à peu et l'impôt sur les bénéfices prend de plus en plus l'allure d'une farce sinistre. Les taxes sur la masse salariale sont facilement transférées aux employés :

> Cette relation négative est conforme à l'idée selon laquelle les employeurs transfèrent dans une large mesure leurs charges sociales aux travailleurs, avec le temps, sous la forme de prix supérieurs des biens et des services achetés par les travailleurs, combinés à une diminution de leurs rémunérations nominales. (Comité technique de la fiscalité des entreprises, 1997, p. 3-19.)

En 1999, les cotisations versées au FSS par les petites entreprises correspondaient à plus de la moitié de celles versées par les grandes entreprises (26,1 % contre 50,9 % respectivement). La même année, les bénéfices nets des petites entreprises étaient 15 fois inférieurs à ceux des grandes entreprises (4,7 milliards de dollars contre 66,6 milliards). On voit bien que les PME utilisent proportionnellement beaucoup plus d'employés pour générer leurs bénéfices. Ainsi, en taxant sur la masse salariale plutôt que sur les bénéfices réalisés, le gouvernement pénalise la petite entreprise et aide la très grande. Encore une fois, il agit de façon totalement contraire à son discours.

12.4.1. Comparaison n'est pas raison

Dans son document de consultation pré-budgétaire, le ministre Séguin faisait des comparaisons entre le Québec et l'Ontario et entre le Québec et les États-Unis. Son but manifeste était de nous montrer que nous sommes des paresseux vivant aux crochets de l'État et que nous n'en avons plus les moyens.

Lorsque le ministre compare le PIB par heure travaillée, sur une base brute, il déforme sensiblement la réalité. Les heures indiquées sur les relevés dont il dispose sont celles qui ont été payées. Pourtant, nous connaissons tous les pressions que les difficultés économiques et le taux de chômage élevé ont fait subir aux travailleurs. Il faut aussi tenir compte de la structure industrielle. Avec la complicité active du gouvernement fédéral, une grande proportion des entreprises de haute technologie et à forte valeur ajoutée se sont installées en Ontario.

Pour mieux comprendre la comparaison, imaginons deux personnes qui creusent des caves. L'une a une pelle mécanique et l'autre une simple pelle qu'elle doit manier elle-même. À la fin de la journée, le patron arrive. Il regarde les deux tas de terre et dit à la personne qui a la petite pelle qu'elle n'est pas très productive, car son tas est bien moins gros que celui de l'autre personne. En plus, elle a l'air plus fatiguée. Elle est sans doute paresseuse et manque d'entraînement au travail. Certains diront que cette comparaison est stupide. C'est pourtant ce que fait le ministre à la page 19 de son document.

Dans la même foulée, il compare les heures travaillées au Québec, en Ontario et aux États-Unis. Au Québec, il semble que nous travaillons 32,8 heures, contre 34 en Ontario et 37,8 aux États-Unis. Nous sommes censés comprendre que si nous travaillions plus longtemps, nous produirions plus. Cependant, tant qu'il y a du chômage, cette affirmation est ridicule. Reste-t-il, à la fin de la semaine, du travail non effectué parce que les gens ont arrêté leur semaine vers la fin de la 33e heure ? De toutes manières, comme nous l'avons mentionné plus haut, l'information que le ministre a entre les mains se rapporte aux heures payées. Or il y a de plus en plus d'heures travaillées et non payées. Mais que désire le ministre ? Rétablir la semaine de 40 heures, contre laquelle des centaines de milliers de travailleurs se battent ? Ce que le ministre veut faire dans des documents de cet acabit est plutôt de générer de la culpabilité pour mener les gens à accepter une baisse des services publics [4].

Si on se fie à d'autres chiffres produits par le gouvernement du Québec, on s'aperçoit, malgré toutes les réserves avec lesquelles ces indicateurs doivent être traités, qu'en 2001, le Québec avait un PIB par habitant supérieur à celui de plusieurs pays de l'OCDE, dont le Royaume-Uni, l'Allemagne et la France.

À l'échelle canadienne, nous arrivons toujours derrière l'Alberta. Mais voyons cela plus en détail. L'Alberta, paradis reconnu du néolibéralisme et du non-interventionnisme de l'État, a réussi

4. Plus loin, il nous dit aussi que nous avons plus de services que les Ontariens. Nous sommes moins productifs et nous avons plus de services. Donc, nous sommes gâtés et paresseux. La morale de l'histoire est simple : si nous voulons garder le niveau de service, il faut augmenter la productivité et, en attendant, nous devons nous contenter de moins.

à créer, à même les redevances liées à l'exploitation de ses ressources naturelles, des réserves qui lui permettent de vivre à un niveau intéressant, même sans tenir compte du niveau du fonctionnement de l'économie, qui n'est plus ce qu'il était. Si le Québec n'avait pas laissé sortir ses richesses à des prix dérisoires pour garnir les coffres de l'Union nationale, nous nous trouverions peut-être dans une meilleure situation. Mais la création d'un fonds national est une mesure bien peu néolibérale. C'est d'ailleurs une voie intéressante dont nous pourrions nous inspirer pour la suite des choses. Selon les années, le Québec affiche des taux de croissance économique et de croissance de l'emploi largement supérieurs à la moyenne canadienne et à celle des pays de l'OCDE.

Le ministre Séguin a donc bien choisi les chiffres présentés dans son document pour effrayer la population et faire admettre ses idées sans consultation. Il semble que ce soit la façon libérale de gouverner. Le premier ministre a déclaré que les forums serviraient à expliquer les positions de son gouvernement ; en quelque sorte, c'est une consultation à l'envers. Le ministre Mulcair a son idée toute faite et prétend ouvrir le débat, sur la question des compteurs d'eau notamment, après avoir supprimé le financement de tous les groupes qui pourraient s'y opposer. Pour sa part, le ministre Séguin lance un document de consultation prébudgétaire qui s'avère être un torchon idéologique destiné à intimider les Québécois pour leur faire accepter des décisions déjà prises. Il ne leur reste qu'à faire des pressions pour modifier le sens du mot consultation dans les dictionnaires.

De la même façon, les dépenses des organismes d'administration publique en fonction du PIB semblent très importantes quand on compare le Québec à l'Ontario et aux États-Unis. Considérons les chiffres de 2001 :

L'Alberta dépense beaucoup plus que le Québec par habitant, tout en ayant un taux de dépense en proportion du PIB qui demeure inférieur. C'est donc qu'il se crée beaucoup plus de richesse en Alberta qu'au Québec, et nous en connaissons tous les raisons. Il semble risqué d'utiliser ce genre de comparaison pour tirer des conclusions brutes. Les États-Unis dépensent 31,2 %

Tab. 12.15 – Dépenses des administrations publiques en 2001

Administration	$ US par habitant	En % du PIB
Alberta	14 131	34,3
Suède	13 373	52,2
Norvège	12 815	41,2
France	12 577	48,8
Italie	12 222	46,4
Allemagne	12 133	45,7
Etats-Unis	11 103	31,2
Québec	11 069	42,9
Ontario	10 865	34,9
C-Britannique	10 511	39,5
N-Brunswick	9 758	45,0
Royaume-Uni	9 740	38,3
Japon	9 707	36,7
Irlande	9 370	29,9

Source : Adapté de Conseil du Trésor, 2003, p. 13.

de leur PIB en dépenses gouvernementales, contre 42,9 % au Québec. Mais notons que les Américains dépensent par personne pour les services de santé plus de deux fois ce qui se dépense au Québec et que le gouvernement américain dépense plus par habitant que celui du Québec. De plus, au-delà de 40 millions d'Américains ne sont pas protégés sur le plan des soins de santé, ni par la prise en charge publique – car ils ne sont pas sur l'aide sociale –, ni par des assurances privées, qu'ils n'ont pas les moyens de se payer. Les taux de mortalité sont supérieurs à ceux du Québec. D'ailleurs, les Noirs américains, comme le soulignait Amartya Sen, ont une espérance de vie inférieure à celle des habitants de plusieurs pays d'Afrique ou de certaines régions de l'Inde. La santé coûte cher aux citoyens américains. Une grande partie de ces sommes passe dans les primes d'assurances, une autre dans les frais d'administration des cliniques privées et, bien sûr, dans leurs profits.

Les Américains dépensent annuellement 4 631 $ par personne pour les coûts de santé, contre 2 432 $ au Québec (presque la moitié). C'est 13 % du PIB américain, comparé à 9,5 % au Québec. En outre, comme nous le disions, beaucoup d'Américains n'ont même pas une protection minimale. Il n'y a pas si longtemps, l'espérance de vie aux États-Unis était de 58,8 années pour un homme et de 63,9 années pour une femme, comparé à 68,1 années pour les hommes et 72,3 années pour les femmes au Québec. Or le Québec obtient ce résultat avec 2,1 médecins par 1 000 habitants, alors que les États-Unis en comptent 2,8. Pourtant, il y a encore des économistes qui veulent nous imposer le système de santé américain. Où prennent-ils leurs données ?

Au Québec, le système fiscal appliqué aux entreprises est loin de constituer la catastrophe dont on nous parle toujours comme si c'était une vérité révélée que nous devions croire sans analyse. De plus, nos gouvernements s'organisent en douce pour enlever les derniers « irritants fiscaux » qui touchent les entreprises et transférer de plus en plus le poids de l'État vers les particuliers. Ensuite, pour ne pas faire fuir les « cerveaux » et pour attirer les « cadres de haut niveau », ces mêmes gouvernements proposeront des allègements fiscaux pour les plus riches. Peut-on aller plus loin dans l'application de la règle « faisons payer les pauvres » ? Il est temps de recommencer à prendre l'argent là où il se trouve.

12.4.2. L'exemple de la Suède

La Suède est reconnue comme un pays où le coût de la vie est élevé, mais aussi comme un pays où l'État tient une place importante et protège bien le citoyen. La fiscalité suédoise se partage entre trois pôles essentiels : le gouvernement central, les administrations locales et la caisse de sécurité sociale qui, comme en France, est séparée du reste de la fiscalité.

L'État suédois réalise des surplus dont les proportions ont augmenté de 0,2 % à plus de 8 % en trois ans (1999-2001). Notons qu'un État qui réalise des surplus peut être aussi problématique qu'un État qui inscrit un déficit. Un déficit peut indiquer que les citoyens actuels n'ont été assez taxés, reportant ainsi sur d'autres citoyens à venir le poids d'une partie du bien-être des citoyens actuels. Un surplus indique que les citoyens actuels ont été trop taxés et qu'une partie de la richesse produite a été réservée pour les citoyens futurs. Un surplus, aussi bien qu'un déficit, résulte donc toujours d'une erreur de taxation au sens strict du terme. Faire des surplus, contrairement à ce que pensent Mario Dumont et d'autres, n'est pas plus le but d'une administration publique que de faire des déficits. Leur but est de taxer juste assez pour financer les programmes mis de l'avant.

La Suède, disions-nous, comprend trois niveaux de gouvernement : le gouvernement central, les gouvernements locaux (communes, conseils généraux de comté et paroisses) et la caisse de sécurité sociale. Il y a 289 communes, dotées chacune d'un conseil municipal. Remarquons que pour une population qui dépasse légèrement celle du Québec, le nombre de gouvernements locaux demeure bien inférieur à celui que nous avions au Québec avant les fusions et même après, surtout si l'on ajoute les municipalités régionales de comté.

En 2001, les revenus et les dépenses (en rubriques très générales) du gouvernement central suédois se détaillaient ainsi :

TAB. 12.16 – Revenus et dépenses du gouvernement central suédois

	En milliards de couronnes	% du PIB
Contributions	1 163	54
Autres	128	6
Total des revenus	1 291	60
Transferts	558	26
Services	578	27
Investissements	50	2
Total des utilisations	1 186	55
Surplus (déficit)	104	5

Manifestement, la situation en Suède diffère de la nôtre. Les revenus du gouvernement central arrivent à 60 % du PIB. Toute comparaison de systèmes fiscaux doit donc s'accompagner de comparaisons entre les services étatiques liés aux taux de taxation. Si, par exemple, les soins de santé et l'instruction sont complètement gratuits, il est plus facile de vivre avec un faible revenu, même si, comme en Suède, le coût de la vie est très élevé. Aux

États-Unis, le taux de taxation est moins élevé, mais les dépenses en assurances privées pour se prémunir contre le coût ahurissant de la santé et pour payer les coûts faramineux de l'éducation privée atteignent un niveau très élevé. De plus, si nous laissons les coûts privés réguler l'accès aux services, nous nous rendons compte très vite que la richesse est de plus en plus concentrée et, de ce fait, de moins en moins bien répartie parmi la population. Les plus riches fréquentent les écoles réputées les meilleures, qui conduisent aux bons emplois, pendant que les autres fréquentent des institutions reconnues comme étant de second sinon de troisième ordre et attrapent les emplois qui restent, quand il en reste.

Il est donc évident que la Suède taxe plus que le Québec, mais elle dépense plus par habitant et, en centralisant les services, contribue à les maintenir à un coût raisonnable. On dira ce qu'on voudra de l'État, mais les services qu'il fournit ne sont pas seulement tarifés moins cher, ils coûtent également moins cher.

La Suède a une taxe à la valeur ajoutée de 11,5 % du PIB, perçue directement des entreprises, ce qui à long terme ne change rien. Que la taxe soit perçue des entreprises ou des individus n'a aucune incidence, puisqu'elle est payée quand même. La différence est survenue au moment du changement de régime. Quand la taxe de vente fédérale suédoise – qui était incluse et masquée dans le prix – est devenue apparente, les prix n'ont pas vraiment baissé pour que l'addition de la taxe devenue visible et du prix de vente donne le même total que précédemment. C'est bien là le problème, d'ailleurs. Cette taxe constitue l'essentiel des impôts payés par les entreprises. Il y a donc une forme de régressivité dans la fiscalité suédoise, tout comme dans la nôtre.

Nous n'irons pas beaucoup plus loin dans cette comparaison. Le but est de montrer que le niveau de taxation, considéré d'une manière brute, n'est pas une donnée pertinente. Le niveau de taxation doit être relié au niveau de services publics existant dans une société. Si la provision de services collectifs dégage les contribuables d'un poids supérieur à celui qu'ils devraient supporter s'ils étaient individuellement responsables de ces dépenses, un taux de taxation de 90 % ne serait pas trop élevé.

Par exemple, moins de 50 % des dépenses de santé émargent au budget de l'État aux États-Unis. Cependant, quand on additionne les dépenses privées et les dépenses publiques, chaque Étasunien dépense pour la santé, en moyenne, deux fois plus qu'un Québécois.

Il est possible que le fait de payer plus de taxes pour que le système de santé soit entièrement public (ce qui n'est plus le cas au Québec, puisque près de 40 % des dépenses sont privées) coûte moins cher que l'addition des coûts publics et des coûts privés. Si tel est le cas, ne nous laissons pas arrêter par le mot taxe, dont on a fait un épouvantail, et privilégions le meilleur système. Réitérons que, dans toute société, certaines personnes n'ont pas les moyens de payer les médicaments et l'hospitalisation. Il n'est donc pas simplement question de réduire et de répartir les coûts, mais aussi de faire en sorte que ces services essentiels soient accessibles à tous, ce qui est précisément le rôle du système public.

La Suède fait justement partie de ces pays où l'État intervient massivement dans plusieurs secteurs de la vie quotidienne pour organiser des services de qualité au coût le plus bas possible. Cette intervention de l'État ne prive pas les gens de leur liberté individuelle, comme on le clame aux États-Unis – liberté qui, dans les faits, devient souvent la liberté de crever de faim. Les situations sont peu comparables, il faut bien l'admettre. Cependant, le non-interventionnisme du gouvernement étasunien, sauf pour sauver les compagnies de placements des amis du régime (Stiglitz, 2003), masque un abandon d'une fraction de plus en plus importante de la population aux mains des profiteurs, dont Wal-Mart est devenu l'une des figures emblématiques. Quant à la Suède, où tous les services essentiels sont fournis gratuitement et où l'on vit relativement à l'abri des aléas de la vie, les individus y sont effectivement beaucoup plus taxés, mais ils y vivent généralement beaucoup mieux.

Chapitre 13

Pistes préliminaires pour une fiscalité renouvelée

IL EXISTE des moyens importants de simplifier la fiscalité et aussi d'aller chercher des sommes supplémentaires. Rappelons que dans un système capitaliste, le but de l'État est de pallier les insuffisances du marché pour répartir plus justement la richesse. Dans un système qui serait beaucoup moins capitaliste que le nôtre, la tâche qui revient à l'État d'instaurer une meilleure justice sociale deviendrait, théoriquement, encore plus importante. Or le système dans lequel nous vivons a atteint une phase qui n'a plus de capitaliste que le nom. Plus le capitalisme est dévoyé, plus l'intervention correctrice de l'État devient essentielle [1].

Notre principe fondamental est la solidarité sociale et le droit à la vie, qui ne signifie rien si elle est vécue dans des conditions impossibles.

> Réduisons l'ambition à tenter de nous mettre d'accord sur quelques principes généraux, puis à examiner s'ils pourraient servir de base à une économie rationnel-

1. Le capitalisme est censé être basé sur l'économie libérale. Dans celle-ci, les éléments et les personnes intervenant dans le processus de production étant rémunérés à la valeur marginale, la richesse est bien distribuée. Mais, il y a longtemps que les contrats ne se négocient plus tous les jours, que la firme a intégré les activités et qu'on a trouvé toutes sortes de moyens de détourner la valeur créée au profit du capital, en spoliant ainsi les travailleurs. Plus l'entreprise détourne de la valeur au profit des actionnaires, plus l'État doit intervenir pour la répartir plus justement.

lement organisée. Voici quel pourrait être le premier :

- L'homme possède le droit à la vie, car il le tient des lois de la nature. Il a donc droit à sa part dans les richesses du monde. Grâce à son travail, il pourrait se procurer cette part et ainsi gagner sa vie. Il le pourra désormais de moins en moins, car son travail est progressivement éliminé par un gigantesque appareil de production qui rend tous les jours le labeur humain un peu moins nécessaire. Cependant, les progrès techniques qui se succèdent, en libérant de plus en plus l'homme de ses occupations matérielles, ne doivent pas le priver des biens créés sous prétexte que son travail n'a pas été nécessaire.
  En effet, si l'homme est dénué de moyen d'existence, son droit à la vie devient un leurre. Mais si l'homme a inventé la machine pour travailler à sa place, n'est-il pas juste qu'elle travaille pour lui ? [...] La fortune des hommes de notre temps réside dans l'efficience des techniques qui permettent de créer ces richesses. Nous avons donc tous le droit de profiter des découvertes de nos devanciers ; d'où ce deuxième principe :
- L'homme est l'héritier d'un immense patrimoine culturel qu'il trouve aujourd'hui en naissant, car l'équipement agricole et industriel n'est plus qu'une œuvre collective poursuivie pendant des siècles par une foule innombrable de chercheurs et de travailleurs, tacitement associés pour l'amélioration continuelle de la condition humaine. Cependant, si l'homme est l'héritier de ce prodigieux patrimoine, il n'est que l'usufruitier des richesses qu'il permet de créer. Sous quelle forme pourrait-il en percevoir sa part ? [...] Dans le monde moderne, la part d'usufruit ne se conçoit que sous la forme de pouvoir d'achat, donc de monnaie, puisqu'elle ne constitue plus qu'un titre de créance. Il faut que tout le monde possède de l'argent pour vivre, comme tout le monde a de l'air pour respirer ; d'où ce troisième principe :

> – Les droits politiques ne suffisent plus à assurer la liberté des hommes, car, pour vivre, il faut avoir de quoi vivre. Les droits des citoyens doivent se compléter des droits économiques du consommateur, concrétisés par un « revenu social » auquel il aura droit du berceau au tombeau.
>
> (Duboin, cité par Marris, 2003, p. 339-340.)

Ces principes, auxquels nous souscrivons, seront à la base des éléments de réforme fiscale que nous proposons ci-après.

13.1. La nouvelle déclaration « simplifiée » des individus

Partant de ces prémisses, nous voulons repenser la déclaration d'impôts agrégée dont nous avons donné l'original plus haut, en modifiant les postes qu'il nous semble important de changer et en la simplifiant le plus possible.

Tab. 13.1 – Simulation de la déclaration d'impôts du Québec

Rubrique	Chiffres corrigés (en milliers de dollars)	Chiffres d'origine (en milliers de dollars)
Revenus d'emploi		102 460 511
Dépenses et déductions reliées à l'emploi		452 718
Revenus nets d'emploi		102 007 793
Correction des revenus d'emploi		1 375
Autres revenus d'emploi		872 454
Prestations d'assurance-emploi		2 802 271
Pension de sécurité de vieillesse		4 420 365
Sommes reçues du RRQ et du RPC		5 563 398
Prestations d'un régime de retraite, REER, FEER		9 770 014
Dividendes imposables de soc. Can.		3 630 548
Intérêts de source canadienne et autres revenus de placements		3 835 326

Suite page suivante

Revenus nets, location biens immeubles	+ 70 000	697 288
Gains en capital imposables	+ 2 941 392	2 941 392
Pension alimentaire reçue	- 307 666	307 666
Aide financière de dernier recours	+102 791 042	2 208 958
Indemnités remplaçant les revenus, versements supplémentaires fédéraux	-	2 817 391
Autres revenus	-	3 293 219
Revenus nets d'affaires	+ 300 000	2 659 064
Revenus nets d'agriculture et de pêche	+ 40 000	406 591
Revenus nets de profession	+ 900 000	3 596 057
Revenus nets de travail à commission	+ 50 000	513 460
Revenus d'une société alloués à un associé retiré	+ 1300	6 448
Revenus d'une société d'associés	+ 5 000	24 055
Prov. 1999/ rev. d'entr. ou prof.		1 024 763
Prov. 2000/ rev. d'entr. ou prof.		818 243
Prov. 1999 moins 2000		206 520
Revenus d'entreprise	+ 1 900 000	7 412 195
Revenu total	+108 641 068	152 581 653
Cotisation à un RPA	-	1 665 354
Versements à un REER	-5 907 619	5 907 619
Montant déductible pour établir le revenu familial net	- 1 060 682	1 060 682
Montant servant à établir le revenu familial net	-	144 069 534
Pension alimentaire déductible	- 334 000	334 080
Frais de déménagement	-	27 131
Dépenses pour revenus de placements	- 200 000	404 525
Pertes, placements dans une entreprise	-	72 886
Déduction relative à certains films	- 164	164
Déduction relative aux ressources	- 18 933	18 933
Autres déductions	- 34 000	66 561
Déductions - calcul du revenu net	- 7 555 398	9 557 034
Revenu net	+ 116 196 466	143 172 174
Rajustement de déductions pour aide financière de dernier recours	- 22 875	22 875
Arrérages de pension alimentaire	- 682	682
Déductions pour investissements stratégiques	- 140 528	140 258
Pertes d'autres années - autres qu'en capital	- 25 000	76 319
Pertes nettes en capital d'autres années		129 563

Suite page suivante

Exemption sur gains en capital imposables	- 663 540	663 540
Déduction pour un indien	- 274 481	274 481
Déduction pour résidents d'une région éloignée	-	57 412
Déduction de certaines prestations	- 2 819 661	2 819 661
Déductions diverses	- 500 000	1 007 582
Déductions - calcul du revenu imposable	- 4 446 085	5 168 812
Revenu imposable	+ 120 642 551	138 049 338
Montant de base	+49 500 000	32 393 041
Montant forfaitaire	-11 112 032	11 112 032
Montant en raison de l'âge, pour personne vivant seule ou pour revenus de retraite		2 699 821
Montant pour conjoint	-180 337	180 337
Montant pour enfants à charge ou autres personnes	-4 303 439	4 303 439
Cotisations au RRQ et au RPC	-	1 103 861
Cotisations à l'assurance-emploi	-	708 909
Cotisations au FSS	-	58 651
Cotisations syndicales et professionnelles	-	469 080
Montant pour déficience mentale ou physique	-	165 473
Montant pour un membre d'un ordre religieux	-7 762	7 762
Frais soins médicaux non dispensés dans votre région	-2 568	2 568
Montant pour frais médicaux	-553 150	553 150
Montant pour frais de scolarité ou d'examen	-278 663	278 663
Montant pour intérêts payés sur prêt étudiant		65 507
Montant pour déficience mentale ou physique transféré par le conjoint		4 600
Montant pour déficience mentale ou physique transféré par pers. à charge autre que conjoint		47 472
Dons de bienfaisance, dons au gouvernement et autres dons	- 649 257	649 257
Total des montants accordés	+32 412 792	54 803 623
Nouveau revenu imposable	226 279 097	
Total des crédits d'impôts non remboursables		12 056 975
Impôt sur le revenu imposable		28 265 328

Suite page suivante

Crédit d'impôt contribution à des partis politiques	3 468
Crédit d'impôt pour dividendes	335 806
Réduction d'impôt à l'égard de la famille	514 369
Crédit d'impôt relatif à un fonds de travailleurs	114 637
Impôt à payer	16 981 788
Versements anticipés du crédit maintien à domicile	2 369
Versements anticipés du crédit pour frais de garde	1 883
Cotisation au RRQ pour un travail autonome	285 129
Cotisations au FSS	137 449
Cotisations au régime d'assurance médicaments	315 851
Impôt et cotisations à payer	17 724 467
Impôt du Québec retenu à la source	15 869 735
Cotisations payées en trop, RRQ et RPC	104 346
Impôts payés par acomptes provisionnels	2 003 024
Impôt retenu pour une autre province	241 981
Crédit d'impôt pour les frais de garde d'enfant	213 127
Remboursement TVQ salariés et sociétés	16 266
Remboursement d'impôts fonciers	220 646
Autres crédits	45 156
Impôt payé et autres crédits	18 714 279
Solde dû	1 926 969
Somme jointe	1 054 163
Remboursement	-2 916 781

Source : Adapté de : Ministère des Finances de l'Économie et de la Recherche, 2003, pages diverses.

Nous partons des chiffres qui se trouvaient déjà dans la déclaration. Rappelons que ces chiffres sont constitués de l'addition horizontale, pour chaque rubrique, de toutes les déclarations d'impôts des particuliers reçues par le gouvernement du Québec pour l'année 2000. Par exemple, nous prenons le revenu d'emploi tel quel, sans le modifier pour tenir compte d'une éventuelle hausse du salaire minimum.

Malgré que nous ajoutions le revenu de citoyenneté, nous ne touchons pas aux prestations d'assurance-emploi dans un premier temps, car il s'agit d'un programme fédéral pour lequel les travailleurs ont payé des primes leur donnant droit à des indemnités qui leur reviennent (de moins en moins, d'ailleurs) ou devraient leur revenir. Les pensions de la sécurité de la vieillesse viennent aussi du fédéral et, bien que financées avec nos taxes, ne sont pas touchées pour l'instant. Tant que le Québec n'est pas souverain, nous n'y pouvons rien.

De la même façon, comme il est difficile de les séparer, laissons les sommes reçues du RRQ et du RPC telles qu'elles sont. Nous pourrons voir plus loin les conséquences qu'entraînerait leur disparition.

Les revenus de location, par une analyse judicieuse des déclarations, pourraient être augmentés. Nous savons tous que des factures, qui n'ont rien à voir avec les espaces loués, sont déduites allègrement des revenus de location. D'une manière très conservatrice, évaluons à 10 % des revenus déclarés ces sommes déduites en trop et ajoutons 70 millions de dollars aux revenus. Les gains en capitaux seront taxés complètement, ce qui double le montant inscrit pour cette rubrique.

Le revenu de citoyenneté et les montants reçus pour les enfants annuleront les pensions alimentaires. La section du programme sur la famille devrait articuler ces positions avec une nouvelle conception du droit de la famille, qui simplifie les procédures et les relations entre les personnes.

L'aide financière de dernier recours disparaît. Elle est remplacée par le revenu de citoyenneté, que nous fixons à 15 000 $ par adulte (16 ans et plus) et 10 000 $ par enfant. Au Québec, il y a approximativement 6 millions d'adultes et 1,5 million d'enfants. La somme totale représente donc 105 milliards de dollars, qui équivaut à environ 2 fois le budget global actuel du Québec, mais que nous devrions facilement récupérer en ajustant les impôts.

Les autres revenus comprennent les bourses d'étude. Celles-ci seront en partie remises en cause par le programme de revenu de citoyenneté ; c'est pourquoi nous avons préféré ne pas toucher à cette somme pour l'instant.

Les revenus nets d'affaires devraient être augmentés d'au moins 20 % après le resserrement de la vérification des données produites et après le refus de dépenses illégalement déduites des revenus. Il faudra de plus établir un seuil à partir duquel ces déductions ne seront plus considérées comme des tentatives de faire un bon coup, mais pour ce qu'elles sont : de la fraude. Notons que ces éléments existent actuellement en grande partie dans la loi, mais que le ministère ne poursuit à peu près jamais les fraudeurs. Le fisc devra appliquer systématiquement et vigoureusement les dispositions touchant la fraude et l'évasion fiscale. De plus, rappelons que nous instaurerons des sanctions pour les professionnels qui se font les complices, voire même souvent les instigateurs, de ces pratiques. Nous ajoutons donc une somme de 300 millions de dollars à cette rubrique.

Aux revenus nets d'agriculture et de pêche, nous ajoutons 10 % (40 millions de dollars), alors qu'aux revenus de profession nous pouvons facilement additionner jusqu'à 25 % (900 millions). Ajoutons également 10 % pour les revenus de travail à commission (50 millions de dollars) et 20 % pour les revenus de sociétés, quel que soit le récipiendaire (1,3 et 5 millions de dollars). Nous ajoutons aussi 25 % aux revenus d'entreprise, soit 1 900 millions.

Il sera important de repenser sérieusement le statut des régimes de pension dans les entreprises. Mais pour l'instant nous allons laisser la déduction telle quelle. Par contre, nous abolissons la déduction pour les REER, car il est clair qu'elle bénéficie presque en totalité aux riches. La ligne suivante comprend des montants reliés aux pensions alimentaires, que nous avons éliminés dans les revenus. Il n'y a donc pas de raisons qu'on les retrouve dans les déductions.

Les dépenses engagées pour gagner des revenus de placement doivent être resserrées. Certains « investisseurs » font des opérations ridicules, mais déduisent les coûts de ces dernières, surtout les intérêts. Si vos revenus sont imposés comme des gains en capitaux, soi à 50 %, et que vos intérêts sont déductibles, vous pouvez faire des affaires par procuration. Les autres citoyens n'ont pas à assumer cela. Disons que nous réduisons ces sommes de moitié.

Les pertes de placement d'entreprise ne seront déductibles que si l'entreprise en question a déjà déclaré des revenus imposables, et jusqu'à concurrence des revenus ainsi déclarés selon la proportion de participation de celui qui réclame la perte. Il n'y a pas de raison que l'État assume les pertes dues aux dérapages de gens d'affaires en herbe. Il est impossible d'estimer les sommes qui pourraient être ainsi économisées, mais dans un esprit conservateur, nous laissons la somme intacte. De plus, les reports de pertes devraient être complètement éliminés.

Les déductions pour les films sont abolies. Si nous devons soutenir le cinéma, ce ne sera certainement pas en passant par des opérations privées plus ou moins douteuses, qui font vivre toute une série de « conseillers financiers » aux pratiques pas toujours transparentes.

La plupart des ajustements du revenu net disparaissent. Les investissements stratégiques (quand l'État croit qu'il faut aider un secteur particulier) seront effectués directement au besoin, et non pas par l'intermédiaire de systèmes détournés desquels l'argent fuit de partout. Il n'y aura plus de déductions pour les gains en capitaux ; les pertes d'autres années seront déduites selon les conditions émises plus haut à propos des autres pertes. La politique que nous établirons à l'égard des autochtones [2] rendra inutile la déduction qui se trouve dans la liste actuelle, et la déduction pour certaines prestations deviendra aussi obsolète.

En 2003, le montant de base était de 6 150 $. Les chiffres avec lesquels nous travaillons datent toutefois de 2000, mais le montant de base n'a pas tellement changé. L'important est de reconnaître que si, d'un côté, nous fixons le revenu de citoyenneté à 15 000 $, il ne peut pas être taxé de l'autre. Donc, la déduction

2. Le seul revenu de citoyenneté rend ces déductions inutiles. De plus, on peut croire qu'un gouvernement de gauche, en reconnaissant la souveraineté des autochtones, modifierait aussi les formules de compensation dont les résultats actuels, rappelons-le, apparaissent plus que problématiques.

de base doit être augmentée à 15 000 $, ce qui implique une hausse de 9 000 $ pour les 5 500 000 contribuables.

Le montant forfaitaire disparaît, alors que celui pour personnes âgées ou vivant seules demeure pour l'instant. Chacun recevant un revenu de base, il n'y a plus de déduction pour conjoint ni pour enfant à charge. Pour le moment, nous avons laissé les cotisations aux divers fonds. Le montant pour un membre d'un ordre religieux disparaît. Les soins médicaux retrouveront leur gratuité intégrale ainsi que l'éducation, de sorte que les déductions correspondantes n'auront plus de raison d'être.

Les dons de bienfaisance disparaissent également, puisque les mesures proposées tendent à instaurer une justice sociale qui va au-delà de la charité. Cette mesure permettra également d'éliminer toutes les escroqueries qui existaient en ce domaine, dont toutes les activités non charitables possédant des numéros de charité, alors que d'autres, socialement très utiles, n'arrivaient pas à en obtenir. Les sommes déduites à cette ligne ne seront plus des crédits d'impôt mais des déductions. Nous les avons élaguées et n'avons gardé que ce qui nous a paru fondamental. Elles doivent donc être complètement déduites dans le calcul du revenu imposable si nous voulons pratiquer des taux d'impôt intéressants.

En ce moment, on calcule l'impôt et on enlève ensuite les crédits qui sont calculés à un taux avoisinant 20 % des sommes en cause. Autrement dit, si votre revenu est imposé à 25 %, une fraction de 5 % demeure imposable, ce qui n'entre pas dans notre logique et ne fait que compliquer inutilement l'ensemble des calculs ainsi que leur compréhension. En changeant les crédits pour des déductions, nous devons calculer un nouveau revenu imposable.

Actuellement, le revenu imposable de 138 049 338 000 $ génère 28 265 328 000 $ d'impôts, ce qui donne un taux moyen de 20,5 %. Ce taux correspond approximativement à la médiane des taux que nous avons décrits plus haut. Mais une fois ce montant calculé, il faut déduire les crédits, qui totalisent 12 056 975 $. Tous les autres crédits disparaissent également. En ce moment, les impôts nets s'élèvent donc à 17 724 467 000 $. La transformation des déductions en crédits masque le taux d'impôt qui véritablement est payé ; c'est pourquoi l'on se retrouve avec un taux moyen effectif plus près de 12 % que de 20 %.

Notre nouveau revenu imposable totalise 226 279 097 000 $. N'oublions pas que chacun a reçu son montant de base de 15 000 $ et que ce montant n'a pas été imposé. Mais il se peut qu'il le soit à d'autres niveaux. C'est pourquoi l'impôt que nous allons établir sur le revenu doit servir à réduire les impôts régressifs, comme la taxe de vente. Nous pouvons donc établir des taux moyens que nous raffinerons ensuite en fonction de différentes catégories.

Si nous taxons à 25 % le revenu imposable – c'est le taux actuel –, nous obtenons 56 569 774 250 $. Ce n'est pas suffisant. Effectivement, en reprenant le taux actuel, nous ne tenons pas compte du fait que nous avons augmenté les déductions de base et que les personnes gagnant un revenu élevé ont aussi reçu le revenu de citoyenneté. Un taux moyen de 30 % nous donnerait 67 883 729 100 $. Mais ce montant ne tient pas vraiment compte du fait que nous voulons rétablir l'équilibre dans la répartition de la richesse. De plus, si nous voulons réduire les impôts régressifs, de nouveaux revenus seront nécessaires. Nous pouvons donc passer à 40 %, ce qui nous donne 90 511 638 800 $. Mais la taxe de vente est de 15,6 % en général, et nous la payons sur tout ce que nous achetons. Nous pouvons donc augmenter notre impôt moyen de 5 % encore, et nous dépasserons les 100 milliards de dollars pour l'impôt des particuliers seulement. Cette somme devra ensuite être répartie entre les différentes catégories de revenus.

Reprenons les caractéristiques des contribuables à la lumière des nouvelles données. Premièrement, plus personne ne se retrouve dans la catégorie 0 à 14 999 $. Tous commencent à 15 000 $, sauf ceux qui auraient des revenus négatifs pour le reste de leurs activités. Comme nous l'avons dit plus haut, ceux-là seront vérifiés avec beaucoup d'attention. Le tableau 13.2 page suivante inclut simplement le revenu de citoyenneté dans la situation qui existait avant. Le revenu attribué aux enfants n'est pas inclus et les chiffres demeurent plutôt conservateurs.

Si nous comparons les pourcentages des revenus totaux que

TAB. 13.2 – Certaines caractéristiques fiscales. En fonction des revenus totaux (en milliers de dollars)

Revenu total	De 15 000 à 29 999	De 30 000 à 44 999	De 45 000 à 59 999	De 60 000 à 74 999	Plus de 75 000
Revenu total	49 982 140	53 426 925	37 601 341	31 018 150	54 094 473
% du total	22 % (11 %)	23 % (21 %)	17 % (21 %)	14 % (16 %)	24 % (31 %)
REER	0	746 434	1 367 789	1 228 472	2 470 851
% du total	0	13 %	22 %	21 %	42 %
Impôts et cotisations	248 972	2 416 676	3 886 539	3 321 730	7 850 550
% effectif	1,5 %	7,6 %	11,8 %	13,8 %	16,7 %
Nombre	2 213 297	1 447 161	901 897	464 574	477 094
% du total	40 %	26 %	17 %	8 %	9 %
Revenu unitaire moyen net (avant)	7 470	20 248	32 382	44 617	81 928
Nouveaux impôts	12 356 091	27 378 027	13 250 122	14 758 060	28 102 833
Revenu net moyen	17 000	18 000	27 000	35 000	54 479

représente chacune des catégories, on voit que la mise en place du revenu de citoyenneté a déjà augmenté de façon importante la justice de la répartition (les anciens taux sont entre parenthèses). Simplement en accordant le revenu de citoyenneté, les 40 % de citoyens qui recevaient 11 % des revenus passent à 22 %, et les 9 % qui recevaient 31 % des revenus passent à 24 %. Il y a donc eu, par cette simple mesure, une augmentation importante du niveau de justice distributive, qui est justement le but de la fiscalité.

Il s'agit maintenant, pour financer cette mesure, d'aller chercher l'argent où il se trouve. Pour ce faire, nous allons commencer par les plus hauts revenus en redescendant. Le tableau 13.3 inclut tous les ajustements faits à notre déclaration d'impôt hypothétique selon les modalités décrites en détail précédemment.

Dans le tableau 13.3, nos calculs se basent sur le revenu unitaire moyen net. Nous sommes partis de l'idée de laisser 150 000 $ net, en moyenne, à la catégorie la plus élevée. Cela correspond d'ailleurs à plus qu'ils n'avaient déjà, dans un sens, puisque nous avons évoqué l'idée d'abolir la taxe de vente, du moins en partie. Comme nous l'avons dit plus haut, la question

TAB. 13.3 – Certaines caractéristiques fiscales. En fonction des revenus totaux (en milliers de dollars)

Revenu total	De 75 000 à 84 999	De 85 000 à 114 999	De 115 000 à 214 999	215 000 et plus
Revenu total	14 591 306	18 221 660	11 741 647	9 539 860
% du total	-	-	-	-
Reer	0	0	0	0
	0	0	0	0
Impôts et cotisations	1 767 625	2 457 690	1 856 714	1 768 521
% effectif	14,9 %	16,0 %	17,6 %	19,3 %
Nombre	183 654	189 434	80 339	23 667
% du total	3,3 %	3,4 %	1,5 %	0,4 %
Revenu total unitaire moyen	64 449	81 190	131 151	388 087
Revenu net moyen	54 825	68 216	108 040	313 361
Nouveaux impôts	7 245 146	8 749 960	6 117 917	5 989 810
Revenu net moyen	40 000	50 000	70 000	150 000

de savoir combien il reste dans les poches des contribuables après la fin de l'exercice fiscal doit être contrebalancée par les services qu'ils reçoivent. Si chacun est assuré d'une vieillesse digne et de soins de santé gratuits et adéquats, si chacun peut compter sur un système d'éducation gratuit et de qualité, il n'y a pas de raisons pour que certains aient des revenus démesurés tirés des ressources de la société.

À partir de maintenant, pour simplifier la démonstration, nous allons baser nos calculs sur ce qui reste après tous les prélèvements. Nos mesures devraient rétablir plus de justice à l'intérieur de chaque groupe. Malgré qu'ils soient basés sur des chiffres moyens, nos calculs illustrent suffisamment notre propos et montrent qu'on peut réussir à améliorer grandement le niveau de justice sociale au Québec.

Avec cette nouvelle structure, nous obtenons 95 845 153 000 $ en impôts des particuliers et nous avons sensiblement amélioré la situation des plus pauvres sans, à notre avis, paupériser les riches. Nous avons seulement reconnu le fait que les revenus de ces derniers sont tirés des ressources collectives et qu'il n'est pas normal qu'ils partent avec la plus grosse part de la cagnotte. Évidemment, ce montant ne couvre pas l'augmentation des besoins de l'État entraînée par l'instauration du revenu de citoyenneté, surtout si nous voulons réduire les taxes régressives. Le reste pourra provenir des impôts des entreprises, car il est peu probable que le réaménagement des dépenses produise des changements importants dans le total du budget des dépenses, du moins à court terme ; il est même probable qu'il augmente. Il faut donc prévoir quelques milliards supplémentaires.

Il faut aussi remarquer que nous avons respecté le cadre actuel, en modifiant seulement les taux de redistribution. Nous pourrions aller plus loin.

Tab. 13.4 – Certaines caractéristiques fiscales. En fonction des revenus totaux (en milliers de dollars)

Revenu total	De 75 000 à 84 999	De 85 000 à 114 999	De 115 000 à 214 999	215 000 et plus
Revenu total	14 591 306	18 221 660	11 741 647	9 539 860
% du total	-	-	-	-
Reer	0	0	0	0
	0	0	0	0
Impôts et cotisations	1 767 625	2 457 690	1 856 714	1 768 521
% effectif	14,9 %	16,0 %	17,6 %	19,3 %
Nombre	183 654	189 434	80 339	23 667
% du total	3,3 %	3,4 %	1,5 %	0,4 %
Revenu total unitaire moyen	64 449	81 190	131 151	388 087
Revenu unitaire moyen net	54 825	68 216	108 040	313 361
Impôt (nouveaux)	8 163 416	8 697 130	6 921 307	6 226 480
Revenu net moyen	35 000	45 000	60 000	140 000

On obtient 30 008 333 000 $ d'impôts, auxquels il faut ajouter ceux qu'on a prélevés sur les catégories à revenus inférieurs, soit 71 869 104 000 $, pour un total de 101 877 437 000 $. On peut ainsi jouer avec les catégories, fixer des revenus nets maximums compte tenu de tous les services qui seront fournis, etc.

À partir de ces chiffres, chacun peut évaluer, de façon générale, l'impact d'un changement de fiscalité sur la richesse moyenne des différents groupes.

TAB. 13.5 – Certaines caractéristiques fiscales. En fonction des revenus totaux (en milliers de dollars)

Revenu total	De 15 000 à 29 999	De 30 000 à 44 999	De 45 000 à 59 999	De 60 000 à 74 999	75 000 et plus
Revenu net total	37 626 049	26 048 898	22 547 425	13 937 220	24 086 091
% du total	30	21	18	11	20
% originaux [a]	11% (40%)	21% (26%)	21% (17%)	16% (8%)	31% (9%)

a. Le taux sans parenthèse est la proportion du revenu que cette catégorie avait au début ; le taux entre parenthèse indique la proportion que ce groupe représente.

Notre répartition a considérablement augmenté le niveau de justice sociale, même si elle n'a pas totalement éliminé les disparités. Ainsi, 9 % des citoyens se partagent encore 20% du revenu, mais c'est une amélioration notable par rapport aux 31 % qu'ils détenaient avant.

Voyons comment ces nouvelles données entreraient dans le tableau (13.6) des revenus du gouvernement.

TAB. 13.6 – Détail des revenus du gouvernement (en millions de dollars)

Revenus	Nouveaux	2002-2003
Impôts sur les revenus et les biens		
Impôts sur le revenu des particuliers	101 877	16 081
Cotisations au Fonds des services de santé	3 000	4 479
Impôts des sociétés	7 688	3 735
Total	112 565	24 295
Taxes à la consommation		
Ventes	4 000	8 327
Carburants	1 645	1 645
Tabac	867	867
Total	6 514	10 839
Droits et permis		
Véhicules automobiles	690	690
Boissons alcooliques	157	157
Ressources naturelles	5 000	201
Autres	178	178
Total	6 025	1 226
Revenus divers		
Ventes de biens et services		441
Intérêts		331
Amendes, confiscations et recouvrements		421
Total	1 193	1 193
Revenus provenant des entreprises d'État		
Société des alcools du Québec	540	540
Loto-Québec	1 363	1 363
Hydro-Québec	500	1 840
Autres	174	174
Total	2 577	3 907
Organismes consolidés	1 943	1 943
Transferts	9 030	9 303
Total	139 847	52 706

Source : Finances Québec, *Plan budgétaire,* 2003, p. 28.

Si nous gardons le budget de dépenses actuel, il est clair que nous avons besoin de 160 milliards de dollars et qu'il manque 20 milliards pour l'instant. Mais, dans les faits, nous n'aurons pas besoin d'autant. En outre, bien des sources de revenus n'ont pas encore été explorées.

13.2. Le montant du revenu de citoyenneté

Au Canada, en général, le fossé entre les plus pauvres et les plus riches s'est élargi dans les dernières années. En 1999, la situation était la suivante :

TAB. 13.7 – Distribution de la richesse personnelle au Canada en 1999

Groupe	Richesse totale	Proportion
Toutes les familles	2 439 025 000 000	100 %
10 % les plus pauvres	-8 693 000 000	-0,4 %
Deuxième décile	4 207 000 000	0,2 %
Troisième décile	17 981 000 000	0,7 %
Quatrième décile	44 455 000 000	1,8 %
Cinquième décile	79 350 000 000	3,3 %
Sixième décile	124 589 000 000	5,1 %
Septième décile	187 469 000 000	7,7 %
Huitième décile	272 464 000 000	11,2 %
Neuvième décile	423 493 000 000	17,4 %
10 % les plus riches	1 293 710 000 000	53,0 %
50 % les plus pauvres	137 300 000 000	5,6 %
50 % les plus riches	2 301 725 000 000	94,4 %

Source : Kerstetter, 2002, p. 10.

Les disparités sont criantes. Les 10 % les plus pauvres n'ont, en fait, aucun actif : ils sont endettés. Voilà bien une raison – si on en a encore besoin – de faire des changements fiscaux du genre de ceux que nous proposons.

Qui plus est, depuis le début des années 1970, les plus pauvres s'appauvrissent encore, pendant que la richesse des plus riches se multiplie.

La tendance est claire. Pour l'infléchir, il faut répartir les revenus plus équitablement. Le but du revenu de citoyenneté est d'éliminer la pauvreté des trois ou quatre déciles les plus défavorisés.

À partir de quel revenu ne sommes-nous plus pauvres ? La question est débattue depuis des décennies. Tout cela dépend de

TAB. 13.8 – Distribution de la richesse personnelle au Canada en 1999

Groupe	1970	1999	Changement
10 % les plus pauvres	-8 301	-10 656	-2 355
Deuxième décile	0	369	369
Troisième décile	2 490	6 306	3 816
Quatrième décile	10 792	23 179	12 387
Cinquième décile	24 904	49 437	24 533
Sixième décile	44 828	82 662	37 834
Septième décile	68 902	129 822	60 920
Huitième décile	97 957	193 488	95 531
Neuvième décile	146 106	305 674	159 568
10 % les plus riches	442 468	980 903	538 435
Moyenne	83 015	176 087	93 092

Source : Kerstetter, 2002, p. 13.

la définition que nous donnons à la pauvreté. Depuis des années, Statistique Canada – qui refuse de porter tout jugement moral que ce soit – appelle ce montant le « seuil de faible revenu ». Ce seuil est calculé en fonction des indices des prix. Le plus connu, l'indice des prix à la consommation (IPC), est calculé à partir d'un panier moyen de provisions.

Plusieurs chiffres ont été avancés, du maigre 12 000 $ net proposé comme seuil de faible revenu jusqu'au 19 000 $ avancé par le ministère des Ressources humaines. Une chose est certaine : tous ces chiffres sont loin au-dessus du montant maximum d'aide sociale que peut recevoir une personne seule. Soit notre système d'aide sociale tient pour acquis que tout le monde triche, ce que ne peut pas faire un tel système, soit il garde sciemment les bénéficiaires dans un état de pauvreté abjecte, les condamnant à des choix désespérés pour boucler leur budget. Le revenu de citoyenneté devrait régler ce problème et permettre à chacun de vivre dans la dignité. C'est pour l'ensemble de ces raisons que nous avons fait le choix de 15 000 $ pour les adultes de plus de 16 ans et de 10 000 $ par enfant.

Nous pourrions raffiner ces mesures en réduisant le montant pour les enfants en bas âge, mais nous croyons que ce serait aller chercher des sommes très marginales à partir de calculs frôlant la mesquinerie.

13.3. L'impôt des entreprises

Pour continuer à traiter des revenus du gouvernement, nous devons envisager des changements dans la fiscalité des entreprises.

TAB. 13.9 – Statistiques fiscales selon la taille de l'entreprise (en millions de dollars)

	Revenu imposable au Québec (actuel)	Impôt à payer
(actuel)		
Nouveau (20%)	Impôt à 15%	Gain
Petites	(5 150)	
6 438	(451)	
1 288	(773)	322
Moyennes	(4 070)	
6 105	(389)	
1 221	(611)	222
Grandes	(12 717)	
15 896	(1 175)	
3 179	(1 908)	733

Source : Adapté de ministère des Finances de l'Économie et de la Recherche, 2003b, pages diverses.

On peut penser qu'en resserrant les règles et les vérifications, comme on l'a fait pour les particuliers, les revenus d'entreprise augmenteront généralement de 25 %. Il est vrai que cette augmentation n'aura pas lieu aux mêmes endroits dans toutes les entreprises, mais elle aura lieu. Nous pouvons aussi croire que l'instauration de redevances pour l'utilisation des ressources naturelles amènera des fonds supplémentaires dans les coffres de l'État. Avec un taux minimal de 20 %, l'impôt des entreprises atteindrait 5 688 millions de dollars, auxquels il faut ajouter approximativement 2 milliards de taxe sur le capital (niveau de 2002-2003).

Pour aller plus loin, il faudrait prendre chacun des éléments qui distinguent les revenus comptables des revenus fiscaux et analyser chacun des programmes qui y sont inclus. Nous ne disposons malheureusement pas des chiffres pour ce faire. Nous pouvons toutefois croire que ces multiples mesures atteignent quelques milliards de dollars. Nous n'incluons pas dans ces programmes la fin des subventions aux entreprises, qui devrait également rapporter quelques milliards, mais qui sera considérée quand nous étudierons les dépenses.

Cependant, si nous calculons à partir des chiffres de Léo-Paul Lauzon fournis dans les chapitres précédents, un impôt minimum sur les sociétés rapporterait plus de 10 milliards de dollars. De plus, si nous adoptons ses quelques conseils, dont ceux sur les fiducies, nous venons de trouver les 20 milliards dont nous avions besoin plus haut.

13.4. De nouvelles sources de revenus

Une fois disparue la crainte artificiellement entretenue d'un État interventionniste, nous pourrions penser à placer sous son contrôle certains secteurs susceptibles de générer des revenus très intéressants. Mais nous devons d'abord renverser la tendance idéologique actuelle, qui veut amenuiser le plus possible l'appareil étatique.

13.4.1. La mort du « canard boiteux »

L'idéologie à la base de la réduction de l'État repose sur la prétendue supériorité du secteur privé. Cependant, toutes les études qui concluent à la supériorité de ce secteur ne prennent pas en considération les objectifs spécifiques des entreprises du secteur public, qui sont rarement la maximisation du profit (Ramanadham, 1991). Évaluer les entreprises publiques selon les mêmes critères de profitabilité que pour les entreprises privées constitue une distorsion majeure de ces études (Parenteau, 1997). Les recherches comparant la performance des deux types d'entreprise ne produisent pas de résultats concluants (Villalonga, 2000).

Par contre, une étude plus récente (Bozec, Breton et Côté, 2002) concluait qu'une fois éliminé l'effet des objectifs spécifiques des entreprises d'État, il n'existe aucune différence entre la performance des deux catégories d'entreprises. Certaines entreprises publiques seraient même plus performantes que les entreprises privées.

Tout le discours sur la supériorité de l'entreprise privée repose sur des bribes de théories qui n'ont jamais subi la sanction de la vérification empirique. En conséquence, les théories développées sur les relations entre l'entreprise et la société deviennent fondamentalement faussées. Elles participent d'une vision plus générale, qui veut que le monde soit un espace neutre appartenant au premier qui le réclame et qui a alors le droit d'entreprendre à sa guise. Elles présentent ce droit d'entreprendre comme un droit fondamental, un droit qui existerait sans égards aux autres droits ou qui primerait sur les droits et libertés reconnus dans les chartes et déclarations étatiques et internationales. Or il n'en est rien : le droit d'entreprendre est soumis à l'approbation de l'État, donc de la société.

En effet, si ce droit était fondamental et premier producteur de bien social, celui qui ne s'en prévaut pas et se « contente » de vendre sa force de travail déchoit de ses droits et devient un citoyen de seconde catégorie, exploitable à merci. Il est une ressource humaine, un facteur de production. Sa tare est d'autant plus manifeste qu'il n'y a pas, selon la théorie, de barrières à l'entrée pour devenir entrepreneur.

Celui qui vend sa force de travail est ainsi marqué du péché, souvent originel, puisque le système de propriété l'exclut avant même qu'il n'entre dans le processus de production. De cette manière, le droit de propriété et le droit d'entreprendre deviennent fondamentaux et interdisent la pratique des autres droits en faisant valoir une espèce d'égalité originelle dont l'état actuel ne serait qu'un aboutissement légitime. Cette vision d'une « égalité » originelle que viendrait départager le talent et l'audace ne peut pas résister bien longtemps à la pratique du legs de la propriété.

Une fois intériorisés et promus au rang de valeurs effectives, ces principes colorent la vision de la société et induisent certains comportements. Toutes ces croyances sont confortées par une campagne médiatique constante par laquelle on insinue qu'avoir un emploi est devenu un privilège et qu'il faut faire l'impossible pour le garder. Les principes du contrôle sont ainsi installés au cœur même de la société. Plus ils y sont forts, plus il est facile de les intégrer dans l'entreprise. La figure 13.1 montre la filiation des concepts dans ce champ.

FIG. 13.1 – Les concepts du contrôle et de la propriété

Droits fondamentaux	**Corollaires**
Droit de propriété	Droit d'entreprendre
	Droit d'exploiter ceux qui n'entreprennent pas
	Droit de contrôler

Le droit de propriété, et surtout le caractère héréditaire de ce droit, fonde la possibilité de contrôler et d'exploiter les autres.

Si le droit de propriété n'est plus conçu comme le seul fondement du système économique performant, l'entreprise publique ne sera plus nécessairement perçue comme étant coûteuse et inefficace, comme les chambres de commerce, ces *think tanks* de droite, tentent de le faire croire aux citoyens. Il pourrait alors devenir un moyen dans l'arsenal de l'État pour améliorer notre situation collective. Nous l'avons dit plus haut, il n'est pas question d'utiliser les revenus des sociétés d'État pour remplacer, par l'intermédiaire des tarifs, les revenus qu'on doit tirer par ailleurs d'une fiscalité progressive. Par contre, utiliser la propriété étatique et collective pour fournir des services à des coûts bien moindres que chez nos voisins (l'électricité, par exemple), est un but tout à fait louable et qui permettra de relâcher la pression sur l'État. Aujourd'hui, les économistes à la solde des entreprises proposent que les coûts des services soient plus élevés et que l'État soutienne ceux qui n'ont pas les moyens de se les offrir. Cette approche entraîne des profits pour le secteur privé et augmente les charges publiques, tout en laissant une bonne partie de la population sans protection, comme dans le cas du système de santé étasunien.

13.4.2. Nationaliser les composantes essentielles du bien commun

L'eau n'est pas une marchandise. Il n'est donc pas question d'en faire le commerce. Par contre, les ressources naturelles sont largement utilisées sans que des redevances soient versées à la collectivité. Il serait temps de nationaliser les ressources naturelles et de s'assurer que leur utilisation profite à l'ensemble de la population.

Dans une perspective similaire, Galbraith (1978) affirmait que l'entreprise privée avait lamentablement failli à la tâche dans la construction de logements sociaux et que l'État devrait la remplacer.

De fait, le principe est simple : partout où l'État constitue le principal consommateur, il est illogique de payer des profits pour avoir ce qu'on pourrait obtenir sans ceux-ci, surtout que les entreprises qui font des affaires avec l'État sont reconnues pour faire de généreux bénéfices. Le profit ne peut qu'augmenter le coût pour la collectivité, soit par l'augmentation des tarifs, soit par la réduction des conditions de travail, ou par la conjonction des deux. On devrait aussi intervenir collectivement partout où la concurrence est impossible ou extrêmement difficile. Par exemple, dans la plupart des services publics, mais aussi dans les secteurs qui demandent que l'État investisse de fortes sommes. Tous ces secteurs devraient être sous le contrôle direct de l'État. Enfin, citons aussi tous les secteurs où la santé publique est concernée.

Dans le cas de la santé, justement, si nous comparons le Canada et les États-Unis, le secteur public canadien est plus performant et moins cher. Si nous excluons les délires des *Invasions barbares,* le système de santé étasunien coûte deux fois plus cher en fonctionnement que le système canadien et, à plus forte raison, que le système québécois, qui dépense près de 12 % de moins que la moyenne canadienne à ce chapitre. Cependant, il faut ajouter qu'au Québec, près de 40 % des dépenses de santé sont maintenant privées. D'ailleurs, la recrudescence des plaintes contre le service de santé accompagne la diminution de l'engagement de l'État dans ce secteur. En vingt ans, nous sommes passés de plus de 80 % à près de 60 % d'influence du public et les plaintes ne font qu'augmenter, de même que les coûts. Non seulement le prix des services auxiliaires (stationnement, cafétéria et nourriture des patients, laboratoires) augmentent-ils de façon importante, mais la qualité devient même parfois problématique (scandales sur la nourriture fournie aux patients dans les hôpitaux, qui était préparée et mise dans les chariots la veille, remplacement de la soupe par des frites pour diminuer les coûts, etc.).

Il y a donc des revenus importants à récupérer pour les citoyens, sinon pour l'État, ce qui devrait revenir au même. Ces revenus ou diminutions de coûts pourraient servir à améliorer la situation collective.

Chapitre 14

Conclusion

LES GOUVERNEMENTS qui proposent des réductions d'impôt et les représentants du patronat qui les approuvent reprennent des arguments économiques simplistes. Ils prétendent qu'il faut faire tourner la roue de l'économie. Il faudrait donc produire plus et ainsi créer plus d'emplois. Pour produire plus, il faut vendre plus ; pour vendre plus, les gens doivent avoir plus d'argent et pour avoir plus d'argent, un plus grand nombre d'entre eux doivent avoir des emplois qui génèrent les moyens d'acheter davantage et de créer ainsi plus d'emplois. Mais cette fausse logique ne les empêche pas de mettre des milliers de travailleurs au chômage.

Quand on nous parle, à la télévision, de relance de la consommation et d'augmentation du revenu disponible, on se réfère à cette équation pour le moins transitive. Mais ce discours fait peur, parce qu'on en perçoit immédiatement la dimension de fuite en avant. Or cette logique a des limites et lorsqu'elle les atteint, la roue se met à tourner dans l'autre sens et à dévaler la pente à reculons, écrasant les Sisyphe qui la poussaient (rarement les patrons).

De fait, cette logique invoquée par le patronat ne fonctionne plus (en supposant qu'elle ait déjà fonctionné). Plusieurs contingences entrent en ligne de compte. Par exemple, les biens produits doivent être en demande. Si je continue à produire les biens que possèdent déjà ceux qui ont les moyens de se les procurer, et que ceux qui trouvent un nouvel emploi n'en ont pas les moyens (ou s'ils ont d'autres priorités dues en grande partie au chômage qu'ils ont subi), la machine va s'enrayer. De l'autre côté, si les entreprises acquièrent des machines pour répondre à l'excédent de demande, les revenus supplémentaires n'iront pas dans les poches des travailleurs et la demande ne sera pas ravivée pour autant.

En fait, dans ce contexte, les subsides gouvernementaux aux pauvres sont de meilleurs incitatifs à la consommation. Cependant, cette consommation suscitée par les transferts demeure assez élémentaire et porte surtout sur des biens périssables (nourriture). Or les entreprises importantes et les lobbies qui les représentent préfèrent construire des biens immobilisables, ce qui d'ailleurs est un autre moyen de pousser à la roue puisque ces biens, en augmentant la valeur du bilan, nécessitent toujours plus de profits pour conserver le taux de rendement constant.

Là est tout le problème. Les baisses d'impôts redonnent de l'argent aux personnes qui en ont déjà et qui ont déjà atteint, dans bien des cas, des niveaux de consommation ridicules et dangereux pour la planète. Par exemple, on trouve dans une maison où vivent quatre personnes : quatre téléviseurs dont un cinéma maison, trois lecteurs vidéos, un ordinateur avec la caméra, etc.

Ces excès sont loin d'être limités aux catégories de citoyens aux revenus supérieurs. Une baisse des impôts risque donc peu de relancer la consommation, d'autant plus qu'il est de moins en moins probable qu'elle relance la création d'emploi. Ainsi, les économistes devraient sortir de leurs cercles vicieux et considérer la réalité. Surtout, les gouvernements devraient cesser de répéter servilement les mêmes rengaines néoclassiques qui ne cadrent pas avec la réalité.

Une fiscalité véritablement progressiste devrait associer les objectifs économiques, sociaux et environnementaux. Les objectifs économiques ne sont pas nécessairement tournés vers le développement, qu'il soit durable ou pas. De toutes façons, s'il y a développement, il devrait se trouver ailleurs que dans les méga projets si chers aux différents gouvernements libéraux, pour se rapprocher des gens. Les objectifs économiques sont de créer une certaine richesse, mais aussi de la répartir de manière beaucoup plus équitable, ce qui nous mène aux objectifs sociaux.

Le « développement » économique doit se faire pour les citoyens. C'est pourquoi il est purement rhétorique de séparer le développement économique et le développement social. Une fiscalité progressiste doit assurer une plus grande justice dans la société, entre autres en remaillant le filet social que nos derniers gouvernements ont passablement abîmé.

Enfin, cette fiscalité pourrait remplir certains objectifs sur le plan de l'environnement. Bien que nous continuions d'avoir un penchant pour l'action directe, une fiscalité progressiste pourrait encourager certains comportements souhaitables, comme l'utilisation des transports en commun ou la récupération des matières recyclables. La fiscalité est la pierre angulaire d'une société juste, et la répartition socialement juste des sources de revenu du gouvernement en est une composante essentielle.

Références

ACCOUNTING STANDARDS STEERING COMMITTEE (ASSC), *The Corporate Report,* The Institute of Chartered Accountants of England and Wales, 1975.

ATTAC, *Les Paradis fiscaux,* Mille et une nuits, Paris, 2000.

BERNARD, M., et L.P LAUZON, *Finances publiques Profits privés. Les finances publiques à l'heure du néolibéralisme,* L'Aut'journal et la Chaire d'études socio-économiques de l'UQAM, Montréal, 1996.

BOLYA, *Afrique, le maillon faible,* Le Serpent à Plumes, Paris, 2002.

BOURASSA, R. (1970), Cité par la Commission sur le déséquilibre fiscal, *Troisième partie : Les conséquences du déséquilibre fiscal et les réponses à y apporter,* Gouvernement du Québec, Québec, 2002, p. 129.

BOURDIEU, P., et J.C. PASSERON, *Les Héritiers,* Les Éditions de Minuit, Paris, 1964.

BOZEC, R., G. BRETON et L. CÔTÉ, The Performance of State-Owned Enterprises Revisited, *Financial Accountability & Management,* 18(4), 2002, p. 383-407.

BOZEMAN, B., *All Organizations Are Public,* Jossey-Bass Publishers, San-Francisco, 1987.

CASSEN, B., « Vive la Taxe Tobin », *Le Monde diplomatique,* août, 1999, p. 14-15.

CASTEL, R., *Les métamorphoses de la question sociale,* Fayard, Paris, 1995.

CHOSSUDOVSKY, M., *Mondialisation de la pauvreté et nouvel ordre mondial,* Écosociété, Montréal, 2004.

Commission des principes économiques de l'Association nationale des industriels américains (1946), cité par LAGUÉRODIE, S., et G. RAVEAUD, « L'État est prédateur des richesses du privé », *in Les Éconoclastes, Petit bréviaire des idées reçues en économie*, La Découverte, Paris, 2003.

Conseil du trésor, *Des indicateurs pour se mesurer. Le Québec se compare à d'autres juridictions,* Gouvernement du Québec, Québec, 2003.

DEGRAAF, J.V., *Theoretical Welfare Economics,* Cambridge University Press, Cambridge, 1975.

DUPLESSIS, M. (1955), cité par la Commission sur le déséquilibre fiscal, *Troisième partie : Les conséquences du déséquilibre fiscal et les réponses à y apporter,* Gouvernement du Québec, Québec, 2002, p. 129.

EHRENREICH, B., *L'Amérique pauvre,* Paris, Grasset, 2004.

FLEXNER, K.F., *The Enlightness Society – The Economy with a Human Face,* Lexington Books, Lexington, 1989.

FREDERICK, W.C., *Values, Nature and Culture in the American Corporation,* Oxford University Press, New-York, 1995.

GALBRAITH, J.K., et N. SALINGER, *Tout savoir ou presque sur l'économie,* Seuil, Paris, 1978.

GODEFROY, T., et P. LASCOUMES, *Le Capitalisme clandestin,* La Découverte, Paris, 2004.

Gouvernement du Québec, *Faits saillants du mémoire du Québec à la quatrième réunion du Comité du régime fiscal,* 1966.

GRAY, R., D, OWEN et C. ADAMS, *Accounting and Accountability,* Prentice Hall, London, 1996.

GUERRIEN B., L'endettement public est le fardeau des générations futures, *in Les Éconoclastes, Petit bréviaire des idées reçues en économie*, La Découverte, Paris, 2003.

HART, O., *Firms Contracts and Financial Structure,* Clarendon Press, Oxford, 1995.

Institut de la statistique du Québec, *Comptes économiques des revenus et dépenses du Québec,* Les publications du Québec, Québec, 1999.

Institut de la statistique du Québec, *Comptes économiques des revenus et dépenses du Québec,* Les publications du Québec, Québec, 2001.

JONSSON, S., « Decoupling Hierarchy and Accountability : An Examination of Trust and Reputation » in R. MUNRO et J. MOURITSEN, *Accountability : Power, Ethos and the Technologies of Managing,* Thompson, London, 1996.

KERSTETTER, S., *Rags and Riches. Wealth Inequality in Canada,* Canadian Centre for Policy Alternative, Ottawa, 2002.

KPMG, *Les Choix concurrentiels,* KPMG, Québec, 1999.

KAUFMAN, A., L. ZACHARIAS et M. KARSON, *Managers vs. Owners,* Oxford University Press, New-York, 1995.

LAGUÉRODIE, S., et G. RAVEAUD, L'État est prédateur des richesses du privé, *in Les Éconoclastes, Petit bréviaire des idées reçues en économie*, La Découverte, Paris, 2003.

LAUZON, L.P., L. BENVENUTO, S. CHARRON, G. LAMBERT, J-E. PÉAN et C. SANTERRE, *Pour une fiscalité progressiste, juste et équitable,* Chaire d'études socio-économiques de l'UQAM, Montréal, 2002.

LAUZON, L.P., *Impôts payés et impôts reportés par les compagnies canadiennes en 1999 : de la prétention à la réalité. Plaidoyer pour un impôt minimum,* Chaire d'études socio-économiques de l'UQAM, Montréal, 2000.

LANGLOIS, R., « La taxe Tobin : embryon d'un nouveau financement international », *Nouvelles CEQ,* 38-39, septembre-octobre, 1999.

LEFEBVRE, J.F., Y. GUÉRARD, et J.P. DRAPEAU, *L'autre écologie,* Éditions MultiMondes et le GRAME, Ste-Foy et Montréal, 1995.

LEHMAN, C., *Accounting's Changing Role in Social Conflict,* Marcus Wiener Publisher Inc., New York, 1992.

LÉVESQUE, R. (1984), Cité par la Commission sur le déséquilibre fiscal, *Troisième partie : Les conséquences du déséquilibre fiscal et les réponses à y apporter,* Gouvernement du Québec, Québec, 2002, p. 129.

LINDHOLM, C.E., « The Accountability of the Private Enterprise : Private – No, Enterprise – Yes. » *in* Tony Tinker, *Social Accounting for Corporations,* Marcus Wiener Publisher Inc, New York, 1984.

LINTEAU, P.A., R. Durocher, J.C. Robert et F. Ricard, *Histoire du Québec contemporain. Tome II, Le Québec depuis 1930,* Boréal, Montréal, 1986.

Marinescu I. et G. Raveaud, « L'efficacité économique est un préalable à la justice sociale », in *Les Éconoclastes, Petit bréviaire des idées reçues en économie,* La Découverte, Paris, 2003.

Martin, P., et P. Savidan, *La Culture de la dette,* Boréal, Montréal, 1994.

Maris, B., *Antimanuel d'économie,* Éditions Bréal, Rosny, 2003.

Mattern, J., Dans les sociétés libérales, les individus gagnent ce qu'ils méritent, in *Les Éconoclastes, Petit bréviaire des idées reçues en économie,* La Découverte, Paris, 2003.

Méda, D., *Qu'est-ce que la richesse ?,* Flammarion, Paris, 1999.

Méda, D., *Le travail. Une valeur en voie de disparition,* Flammarion, Paris, 1995.

Ministère des Finances du Canada, Comité technique de la fiscalité des entreprises, *Rapport,* Centre de distribution Ministère des Finances, Ottawa, 1997.

Ministère des Finances de l'Économie et de la Recherche, *Statistiques fiscales des particuliers – année d'imposition 2000,* Gouvernement du Québec, Québec, 2003a.

Ministère des Finances de l'Économie et de la Recherche, *Statistiques fiscales des sociétés – année d'imposition 1999,* Gouvernement du Québec, Québec, 2003b.

Ministère des Finances de l'Économie et de la Recherche, *Document de consultations prébudgétaires,* Gouvernement du Québec, Québec, 2003c.

Ministère des Finances du Québec, *La Fiscalité des sociétés,* Les Publications du Québec, Québec, 1996.

Ministère des Finances du Québec, *Budget,* Les Publications du Québec, Québec, 1996.

Ministère du Conseil Exécutif, *Les Québécois, la fiscalité et le financement des services publics,* Les Publications du Québec, sainte-Foy, 1996.

Ministère du Revenu, Gouvernement du Québec, *Budget 2003-2004 : Plan budgétaire,* Gouvernement du Québec, Québec, 2003.

Neufeld, J., « Aims for the Rich », *Briar Parch,* décembre 2004/janvier 2005.

OKUN, A. (1982), Cité par MARINESCU I. et G. RAVEAUD, « L'efficacité économique est un préalable à la justice sociale », in *Les Éconoclastes, Petit bréviaire des idées reçues en économie*, La Découverte, Paris, 2003.

PARENTEAU, R., La performance des entreprises publiques in M. GUAY, *Performance et secteur public,* Presses de l'Université du Québec, Québec, 1997.

PASSET, R., « Un monde à portée de main », in *Manière de voir*, n° 35, *Offensives du mouvement social*, Le Monde diplomatique, 1997, p. 92-94.

RAFFARIN, J.P. (2002), cité par GUERRIEN B., « L'endettement public est le fardeau des générations futures », in *Les Éconoclastes, Petit bréviaire des idées reçues en économie*, La Découverte, Paris, 2003.

RAMANADHAM, V.V., *The Economics of Public Enterprise,* Routhledge, London, 1991.

ROBINSON, J., *Prescription Games*, McLelland & Stewart, Toronto, 2001.

ROSANVALLON, P., *Le Libéralisme économique,* Seuil, Paris, 1989.

ROBIN, J., « Repenser les activités humaines », in *Manière de voir*, n° 35, *Offensives du mouvement social*, Le Monde diplomatique, 1997, p. 90-92.

RIFKIN, J., *The End of Work,* G.P. Putnam's Sons, New York, 1995.

SCHUMPETER, J.A., *Histoire de l'analyse économique, III – l'âge de la science,* Gallimard, Paris, 1983.

SEN, A., *Un nouveau modèle économique : développement, justice, liberté,* Odile Jacob, Paris, 2003.

SHOCKER, A.D., et S.P. SETHI, « An Approach to incorporating social preferences in developing corporate action strategies », in S.P. SETHI, *The unstable ground : Corporate social policy in dynamic society,* Melville Publishing, New-York, 1974.

SMITH, A., *La Richesse des nations,* Paris, G.F. Flammarion, 1991.

STIGLITZ, J., *La Grande Désillusion,* Fayard, Paris, 2002.

STIGLITZ, J., *Quand le capitalisme perd la tête,* Fayard, Paris, 2003.

STIGLITZ, J., Cité par B. MARIS, *Antimanuel d'économie,* Éditions Bréal, Rosny, 2003.

STRICK, J.C., *Canadian Public Finance,* Holt, Rinehart and Winston, Toronto, 1973.

TODD, E., *Après l'empire,* Gallimard, Paris, 2002.

TYPGOS, M.A., Toward a theory of corporate social reporting, a comment, *The Accounting Review,*, 1977, p. 977-983.

VAURY, O., « Le PIB est un indicateur satisfaisant du progrès du niveau de vie d'une société », in *Les Éconoclastes, Petit bréviaire des idées reçues en économie*, La Découverte, Paris, 2003.

VICENTE, C., « La longue marche contre les plans du FMI », in Attac, *Les peuples entrent en résistance,* CADTM, CETIM et Syllepse, Genève, 2000.

VILLALONGA, B., « Privatization and Efficiency : Differentiating Ownership Effects from Political, Organizational, and Dynamic Effects », *Journal of Economic Behavior and Organization,*, 2000, p. 42-74.

WILLIAMSON, O., *Markets and Hierarchies : Analyses and Antitrust Implications,* Free Press, New-York, 1975.

WOOD, D., *Business and Society,* Scott, Foresman/Little, Brown, Hugues Education, Glenview, 1990.

ZIEGLER, J., *Les nouveaux maîtres du monde et ceux qui leur résistent,* Fayard, Paris, 2002.

Table